AIMER JUSQU'À
mourir d'amour

PENSÉES 2

THÉRÈSE
DE LISIEUX

AIMER JUSQU'À
mourir d'amour

PENSÉES 2

NOVALIS *cerf*

Catalogage avant publication de Bibliothèque et Archives nationales du Québec
et Bibliothèque et Archives Canada

Thérèse, de Lisieux, sainte, 1873-1897
    Pensées [texte (gros caractères)]
    (Gros caractères)
    Publ. en collab. avec : Cerf.
    L'ouvrage complet comprendra 3 v.
    Sommaire : 1. Une tendresse ineffable -- 2. Aimer jusqu'à mourir d'amour.
    ISBN 978-2-89646-431-9 (v. 1)
    ISBN 978-2-89646-455-5 (v. 2)

    1. Thérèse, de Lisieux, sainte, 1873-1897. 2. Vie spirituelle - Église catholique. 3. Méditations.
I. De Meester, Conrad. II. Titre. III. Titre : Une tendresse ineffable. IV. Titre : Aimer jusqu'à
mourir d'amour.

BX4700.T5A25 2011   282.092   C2011-941696-4

Dépôt légal – Bibliothèque et Archives nationales du Québec, 2012
Bibliothèque et Archives Canada, 2012

ISBN 978-2-89646-455-5 (Novalis)
ISBN 978-2-204-09675-1 (Cerf)

Mise en pages et couverture : Mardigrafe inc.
Photos de la couverture : © Office central de Lisieux et © Photos.com

Nous reconnaissons l'aide financière du gouvernement du Canada par l'entremise du Fonds
du livre du Canada (FLC) pour des activités de développement de notre entreprise.

Cet ouvrage a été publié avec le soutien de la SODEC. Gouvernement du Québec –
Programme de crédit d'impôt pour l'édition de livres – Gestion SODEC.

cerf

Pour la France et l'Europe francophone :
© Les Éditions du Cerf, 2012
www.editionsducerf.fr
29, boulevard La Tour-Maubourg
75340 Paris Cedex 07

NOVALIS

4475, rue Frontenac, Montréal (Québec) H2H 2S2
C.P. 990, succursale Delorimier
Montréal (Québec) H2H 2T1
Téléphone : 514 278-3025 ou 1 800 668-2547
sac@novalis.ca • novalis.ca

Imprimé au Canada

ABRÉVIATIONS UTILISÉES
DANS CETTE ANTHOLOGIE

Ms A, B, C Les trois *Manuscrits autobiographiques* de Thérèse avec indication du folio, recto ou verso.

LT Les Lettres de Thérèse, selon la numérotation de l'édition critique de la *Correspondance générale*, Éd. du Cerf-DDB, 1972-1974.

PN Les Poésies de Thérèse, selon la nouvelle numérotation (définitive) présentée dans *le Triomphe de l'Humilité* (p. 140 s) et *Mes Armes — Sainte Cécile* (p. 124 s), Éd. du Cerf-DDB, 1975.

RP Les « Récréations Pieuses » de Thérèse, selon leur numérotation dans le premier volume du P. François de Sainte-Marie accompagnant l'édition en fac-similé des *Manuscrits autobiographiques*, Carmel de Lisieux, 1956.

JEV   Les Derniers Entretiens de Thérèse
          avec ses sœurs, avec indication
          de la page dans *J'entre dans la vie*
          (Cerf-DDB, 1973), édition populaire
          des *Derniers Entretiens* (édition
          critique, Cerf-DDB, 1971).

CSG   Les *Conseils et Souvenirs* de Thérèse
          publiés par sœur Geneviève (Céline),
          1952, nouvelle édition en
          « Foi vivante » (Cerf-DDB, 1973),
          avec indication de la page.

HA   L'ancienne édition de l'*Histoire
          d'une Âme*, Carmel de Lisieux, 1953,
          avec indication de la page. Cette
          édition contient de nombreuses
          paroles de Thérèse.

Acte   La prière de Thérèse : *Acte d'offrande à*
d'offrande *l'Amour miséricordieux* (juin 1895).

N. B. Les astérisques indiquent un nouveau
développement à l'intérieur du chapitre.

On t'a fait savoir, homme, ce qui est bien,
ce que Yahvé réclame de toi : rien d'autre que
d'accomplir la justice, d'aimer avec tendresse
et de marcher humblement avec ton Dieu.

(Michée 6, 8)

Je n'ai plus de grands désirs si ce n'est celui
d'aimer jusqu'à mourir d'amour...

(Ms C, 7v°)

PRÉFACE

On est surpris de l'abondance des écrits de sainte Thérèse de Lisieux. Pour une brève existence (1873-1897), trois manuscrits autobiographiques, près de trois cents lettres, des prières, des poésies, de petites pièces de théâtre pour la communauté… En outre, ses sœurs ont conservé d'elle un bon nombre de souvenirs et de conseils.

Jeune, mystique, enthousiaste, prophétique, elle a semé les « pensées profondes » qui, dès l'enfance, habitaient volontiers son cœur (Ms A, 14v°). Dans toute leur simplicité, quelle joie elles ont apportée au monde ! Elles furent pour de nombreux chrétiens une véritable libération : n'ont-ils pas senti qu'elles émanaient d'un intense contact avec un Dieu qui s'intéresse vivement à nous, les pauvres ?

Dans cette anthologie, nous avons recueilli ce que nous considérons comme le suc des écrits de Thérèse.

À leur façon, ces textes forment une synthèse du message thérésien et une aide pour la prière. Il faut les lire avec un cœur simple, se laisser toucher par les expériences et les vues d'une sainte.

Nous avons divisé le tout en trois petits volumes : 1. Une tendresse ineffable : *c'est Dieu qui nous invite, qui nous offre son amour ;* 2. Aimer jusqu'à mourir d'amour : *voilà la réponse de Thérèse, une réponse si magnanime qu'elle constitue comme une condamnation à se sentir toujours pauvre, en deçà de l'idéal ;* 3. Les yeux et le cœur : *Thérèse nous enseigne à aimer en tant que pauvres ; c'est sa « petite voie » de désir et de confiance joyeuse.*

Systématiser les textes, c'est les arracher à leur fleuve. Comme si on décomposait une source en gouttelettes. Nous espérons que les textes de Thérèse seront reçus tels qu'ils ont coulé de sa plume. Si l'on confronte ces textes-ci avec les éditions critiques désormais existantes, on remarquera, çà et là, quelques changements littéraires insignifiants, introduits en vue d'une lecture paisible et aisée.

Oui, ces pages ont une prétention, celle dont Thérèse prophétiquement rêvait : rajeunir notre foi quand nous luttons pour trouver Dieu et nous affligeons de ne pouvoir aimer comme le cœur le commande.

Conrad De Meester,
carme

1. L'épreuve de la foi

Nous avons vu dans le premier volume avec quelle tendresse Dieu invite l'homme à l'aimer. Comment faut-il répondre ?

Celui qui répond à l'appel du Seigneur s'engage nécessairement dans le chemin de la foi, « ce précieux trésor, source des seules joies pures et véritables » (Ms C, 5v°). Une connaissance mystérieuse de Jésus l'attend là.

Dans l'ombre de la foi, je t'aime et je t'adore.

(PN 24)

De ton disciple aimé je ne suis pas jalouse,
Je connais tes secrets, car je suis ton épouse.

(PN 24)

La vie est bien mystérieuse, nous ne savons rien, nous ne voyons rien et pourtant, Jésus a déjà découvert à nos âmes ce que l'œil de l'homme n'a pas vu. Oui, notre cœur pressent ce que le cœur ne saurait comprendre, puisque parfois nous sommes sans pensées pour exprimer un je ne sais quoi que nous sentons dans notre âme ? (LT 124)

Après tout, cela m'est égal de vivre ou de mourir. Je ne vois pas bien ce que j'aurais de plus après la mort que je n'aie déjà en cette vie. Je verrai le bon Dieu, c'est vrai, mais pour être avec lui, j'y suis déjà tout à fait sur la terre (JEV, 29).

> *Quand nous croyons véritablement, notre vie tout entière est la maison où le Dieu vivant habite.*

Plus que jamais, je comprends que les plus petits événements de notre vie sont conduits par Dieu (LT 201).

Les créatures sont des degrés, des instruments, mais c'est la main de Jésus qui conduit tout. Il ne faut voir que lui en tout (LT 149).

*

Mais la foi est dure. Elle nous met à l'épreuve et révèle si nous appartenons aux grands amis de Jésus. Thérèse découvre cela à l'âge de quinze ans, quand elle attend en vain la permission d'entrer au couvent.

Cette épreuve fut bien grande pour ma foi, mais Celui dont le cœur veille pendant son sommeil, me fit comprendre qu'à ceux dont la foi égale un grain de sénevé, il accorde des miracles et fait changer de place les montagnes, afin d'affermir cette foi si petite. Mais pour ses intimes, pour sa Mère, il ne fait pas de miracles avant d'avoir éprouvé leur foi (Ms A, 67v°).

Dix-huit mois avant sa mort, la foi devient tragique pour Thérèse.

Il permit que mon âme fût envahie par les plus épaisses ténèbres et que la pensée du Ciel si douce pour moi ne soit plus qu'un sujet de combat et de tourment [...]. Il faut avoir voyagé sous ce sombre tunnel pour en comprendre l'obscurité (Ms C, 5v°).

Lorsque je veux reposer mon cœur fatigué des ténèbres qui l'entourent, par le souvenir du pays lumineux vers lequel j'aspire, mon tourment redouble. Il me semble que les ténèbres, empruntant la voix des pécheurs, me disent en se moquant de moi : « Tu rêves la lumière, une patrie embaumée des plus suaves parfums, tu rêves la possession éternelle du Créateur de toutes ces merveilles, tu crois sortir un jour des brouillards qui t'environnent ! Avance, avance, réjouis-toi de la mort qui te donnera, non ce que tu espères, mais une nuit plus profonde encore, la nuit du néant. » [...] Ce n'est plus un voile pour moi, c'est un mur qui s'élève jusqu'aux cieux et couvre le firmament étoilé… Lorsque je chante le bonheur du Ciel, l'éternelle possession de Dieu, je n'en ressens aucune joie, car je chante simplement ce que je veux croire (Ms C, 6v°-7v°).

Parfois elle avoue quelque chose de sa grande épreuve à ses sœurs.

Tenez, voyez-vous là-bas le trou noir *(sous les marronniers près du cimetière)* où l'on ne distingue plus rien ? C'est dans un trou comme cela que je suis pour l'âme et pour le corps. Ah ! oui, quelles ténèbres ! Mais j'y suis dans la paix (JEV, 153).

Si vous saviez quelles affreuses pensées m'obsèdent ! Priez bien pour moi afin que je n'écoute pas le démon qui veut me persuader tant de mensonges. C'est le raisonnement des pires matérialistes qui s'impose à mon esprit : « Plus tard, en faisant sans cesse des progrès nouveaux, la science expliquera tout naturellement, on aura la raison absolue de tout ce qui existe et qui reste encore un problème, parce qu'il reste beaucoup de choses à découvrir », etc. [...]

Ô ma petite Mère, faut-il avoir des pensées comme cela quand on aime tant le bon Dieu !

Enfin j'offre ces peines bien grandes pour obtenir la lumière de la foi aux pauvres incrédules, pour tous ceux qui s'éloignent des croyances de l'Église.

Elle ajouta que jamais elle ne raisonnait avec ces pensées ténébreuses : Je les subis forcément, mais tout en les subissant, je ne cesse de faire des actes de foi (JEV, 223-4).

*

Sa réaction ? Croire davantage, croire aveuglément.

Tout en n'ayant pas la jouissance de la Foi, je tâche au moins d'en faire les œuvres. Je crois avoir fait plus d'actes de foi depuis un an que pendant toute ma vie. À chaque nouvelle occasion de combat, lorsque mon ennemi vient me provoquer, je me conduis en brave, sachant que c'est une lâcheté de se battre en duel, je tourne le dos à mon adversaire sans daigner le regarder en face ; mais je cours vers mon Jésus, je lui dis être prête à verser jusqu'à la dernière goutte de mon sang pour confesser qu'il y a un Ciel (Ms C, 7r°).

Et je redouble de tendresses,
Lorsqu'il se dérobe à ma foi.

(PN 45)

Au-dessus des nuages,
Le ciel est toujours bleu.

(PN 52)

Thérèse sait qu'elle souffre pour l'Église, elle croit en communion avec ceux qui ne croient pas.

Seigneur, votre enfant l'a comprise, votre divine lumière. Elle vous demande pardon pour ses frères. Elle accepte de manger aussi longtemps que vous le voudrez le pain de la douleur et ne veut point se lever de cette table remplie d'amertume où mangent les pauvres pécheurs, avant le jour que vous avez marqué… Mais aussi, ne peut-elle pas dire en son nom, au nom de ses frères : Ayez pitié de nous Seigneur, car nous sommes de pauvres pécheurs ! Oh ! Seigneur, renvoyez-nous justifiés. Que tous ceux qui ne sont point éclairés du lumineux flambeau de la foi le voient luire enfin… Ô Jésus, s'il faut que la table souillée par eux soit purifiée par une âme qui vous aime, je veux bien y manger seule le pain de l'épreuve jusqu'à ce qu'il vous plaise de m'introduire dans votre lumineux royaume. La seule grâce que je vous demande, c'est de ne jamais vous offenser ! (Ms C, 6r°)

Ainsi la nuit la plus obscure n'est plus sans joie pour Thérèse. Partout dans le ciel noir elle découvre les étoiles de la miséricorde divine.

Malgré cette épreuve qui m'enlève toute jouissance, je puis cependant m'écrier : « Seigneur vous me comblez de *joie* par *tout* ce que vous faites. » Car est-il une joie plus grande que celle de souffrir pour votre amour ? [...] Jamais je n'ai si bien senti combien le Seigneur est doux et miséricordieux. Il ne m'a envoyé cette épreuve qu'au moment où j'ai eu la force de la supporter. Plus tôt je crois bien qu'elle m'aurait plongée dans le découragement. Maintenant elle enlève tout ce qui aurait pu se trouver de satisfaction naturelle dans le désir que j'avais du Ciel (Ms C, 7r° et v°).

Si je n'avais pas cette épreuve d'âme qu'il est impossible de comprendre, je crois bien que je mourrais de joie à la pensée de quitter bientôt la terre (JEV, 33).

*

L'attitude de foi est d'ailleurs caractéristique de la « petite voie » de la sainte. Elle le souligne dans son allégorie du petit oiseau dans la tempête.

Tout ce qu'il peut faire, c'est de soulever ses petites ailes, mais s'envoler, cela n'est pas en son petit pouvoir ! Que va-t-il devenir ? Mourir de chagrin, se voyant aussi impuissant ? Oh non ! le petit oiseau ne va pas même s'affliger. Avec un audacieux abandon, il veut rester à fixer son Divin Soleil. Rien ne saurait l'effrayer, ni le vent ni la pluie, et si de sombres nuages viennent à cacher l'Astre d'Amour, le petit oiseau ne change pas de place, il sait que par-delà les nuages son Soleil brille toujours, que son éclat ne saurait s'éclipser un seul instant. Parfois il est vrai, le cœur du petit oiseau se trouve assailli par la tempête, il lui semble ne pas croire qu'il existe autre chose que les nuages qui l'enveloppent. C'est alors le moment de la *joie parfaite* pour le pauvre petit être faible (Ms B, 5r°).

Oh ! non, je ne désire pas voir le bon Dieu sur la terre. Et pourtant, je l'aime ! J'aime beaucoup la Sainte Vierge et les Saints et je ne désire pas les voir non plus (JEV, 167).

Il n'y a pas de mérite à faire ce qui est raisonnable, c'est la voie commune, tout le monde veut bien y marcher (CSG, 186).

Qui ne reconnaît pas ici la fille spirituelle de saint Jean de la Croix ?

J'ai plus désiré ne pas voir le bon Dieu et les saints et rester dans la nuit de la foi que d'autres désirent voir et comprendre (JEV, 126).

Il est si doux de servir le bon Dieu dans la nuit de l'épreuve, nous n'avons que cette vie pour vivre de foi (CSG, 154).

J'aime autant la nuit que le jour (PN 45).

Je n'ai pas envie d'aller à Lourdes pour avoir des extases. Je préfère la monotonie du sacrifice ! (LT 106)

Vivre de foi, c'est se contenter d'être pauvre.

Notre Bien-Aimé n'a pas besoin de nos belles pensées, de nos œuvres éclatantes. S'il veut des pensées sublimes, n'a-t-il pas ses anges, ses légions d'esprits célestes dont la science surpasse infiniment celle des plus grands génies de notre triste terre ? (LT 141)

Si le bon Dieu veut des belles pensées et des sentiments sublimes, il a ses anges. Il pouvait même créer des âmes si parfaites qu'elles n'auraient eu aucune des faiblesses de notre nature. Mais non, il met ses délices dans de pauvres petites créatures faibles et misérables. Sans doute que cela lui plaît mieux ! (CSG, 29)

Vous êtes toute petite, rappelez-vous ça, et quand on est tout petit on n'a pas de belles pensées… (JEV, 195)

Ne vous étonnez pas si je ne vous apparais pas après ma mort, et si vous ne voyez aucune chose extraordinaire comme signe de mon bonheur. Vous vous rappellerez que c'est « ma petite voie » de ne rien désirer voir (JEV, 39).

*

À l'exemple du Serviteur Souffrant, Thérèse veut croire jusque dans la mort.

Ne vous faites pas de peine, mes petites sœurs, si je souffre beaucoup et si vous ne voyez en moi, comme je vous l'ai dit, aucun signe de bonheur au moment de ma mort. Notre-Seigneur est bien mort victime d'amour, et voyez quelle a été son agonie !... Tout cela ne dit rien (JEV, 40).

Notre-Seigneur est mort sur la croix, dans les angoisses, et voilà pourtant la plus belle mort d'amour. C'est la seule qu'on ait vue, on n'a pas vu celle de la Sainte Vierge. Mourir d'amour, ce n'est pas mourir dans les transports. Je vous l'avoue franchement, il me semble que c'est ce que j'éprouve (JEV, 56).

2. La belle charité fraternelle

Jésus a fait à Thérèse la grâce de « pénétrer les mystérieuses profondeurs de la charité » (Ms C, 18vº). Et cela pendant la dernière année de sa vie, quand elle est au sommet de sa maturité spirituelle. Elle confie :

Cette année, le bon Dieu m'a fait la grâce de comprendre ce que c'est que la charité. Avant je le comprenais, il est vrai, mais d'une manière imparfaite, je n'avais pas approfondi cette parole de Jésus : « Le second commandement est *semblable* au premier : Tu aimeras ton prochain comme toi-même. » Je m'appliquais surtout à aimer Dieu et c'est en l'aimant que j'ai compris qu'il ne fallait pas que mon amour se traduisît seulement par des paroles, car « Ce ne sont pas ceux qui disent : Seigneur, Seigneur ! qui entreront dans le royaume des Cieux, mais ceux qui font la volonté de Dieu ».

Cette volonté, Jésus l'a fait connaître plusieurs fois, je devrais dire presque à chaque page de son Évangile. Mais à la dernière cène, lorsqu'il sait que le cœur de ses disciples brûle d'un plus ardent amour pour lui qui vient de se donner à eux dans l'ineffable mystère de son Eucharistie, ce doux Sauveur veut leur donner un commandement nouveau. Il leur dit avec une inexprimable tendresse : « Je vous fais un commandement nouveau, c'est de vous entr'aimer et que comme je vous ai aimés, vous vous aimiez les uns les autres. La marque à quoi tout le monde connaîtra que vous êtes mes disciples, c'est si vous vous entr'aimez. [...]

Lorsque Jésus fit à ses apôtres un commandement nouveau, *son commandement à lui*, comme il le dit plus loin, ce n'est plus d'aimer le prochain comme soi-même qu'il parle, mais de l'aimer comme lui, Jésus, l'a aimé, comme il l'aimera jusqu'à la consommation des siècles. [...]

Vous savez bien que jamais je ne pourrais aimer mes sœurs comme vous les aimez, si *vous-même*, ô mon Jésus, ne les aimiez encore *en moi*. [...]

Oh ! que j'aime votre commandement nouveau, puisqu'il me donne l'assurance que votre volonté est *d'aimer en moi* tous ceux que vous me commandez d'aimer !... Oui, je le sens, lorsque je suis charitable, c'est Jésus seul qui agit en moi ; plus je suis unie à lui, plus aussi j'aime toutes mes sœurs (Ms C, 11vᵒ-12vᵒ).

*

Mais l'intention ne suffit pas. Il faut l'incarner !

Surtout j'ai compris que la charité ne doit point rester enfermée dans le fond du cœur (Ms C, 12rᵒ).

Lorsque la charité a jeté de profondes racines dans l'âme, elle se montre à l'extérieur (Ms C, 18rᵒ).

Je comprends maintenant que la charité parfaite consiste à supporter les défauts des autres, à ne point s'étonner de leurs faiblesses, à s'édifier des plus petits actes de vertus qu'on leur voit pratiquer (Ms C, 12rᵒ).

Ô Jésus, depuis que cette douce flamme consume mon cœur, je cours avec joie dans la voie de votre commandement nouveau (Ms C, 16rº).

La récompense est grande, même sur la terre… Dans cette voie il n'y a que le premier pas qui coûte (Ms C, 18rº).

Car on sert Jésus lui-même. Au sujet d'une vieille sœur malade à qui il fallait rendre beaucoup de petits services, Thérèse dit :

Que j'aurais été heureuse d'être son infirmière. Cela m'aurait peut-être coûté selon la nature, mais il me semble que je l'aurais soignée avec tant d'amour, parce que je pense à ce qu'a dit Notre Seigneur : « J'étais malade et vous m'avez soulagé » (JEV, 216-7).

La charité fraternelle fortifie la santé spirituelle.

Se replier sur soi-même, cela stérilise l'âme ! Il faut se hâter de courir aux œuvres de charité. Parfois, on est si mal chez soi, dans son intérieur, qu'il faut promptement en sortir. Le bon Dieu ne nous oblige pas à rester en notre compagnie, au contraire. Il permet souvent qu'elle nous soit désagréable afin que nous la quittions. Je ne vois pas d'autre moyen, en ce cas, que de sortir de chez soi et d'aller rendre visite à Jésus et à Marie en courant aux œuvres de charité (CSG, 99).

Si vous assistez les âmes pauvres et délaissées avec effusion, c'est-à-dire avec cœur, avec amour, avec désintéressement, si vous consolez ceux qui souffrent, vous recouvrerez votre santé intérieure, votre âme ne languira plus (CSG, 95).

Je sentis en un mot la charité entrer dans mon cœur, le besoin de m'oublier pour faire plaisir et depuis lors je fus heureuse ! (Ms A, 45v°)

Voyons Thérèse à l'œuvre.

Je suis heureuse, je n'offense pas du tout le bon Dieu pendant ma maladie. Tantôt j'écrivais sur la charité (*dans le cahier de sa vie*) et, bien souvent, on est venu me déranger. Alors j'ai tâché de ne point m'impatienter, de mettre en pratique ce que j'écrivais (JEV, 49).

Il se trouve dans la communauté une sœur qui a le talent de me déplaire en toutes choses. Ses manières, ses paroles, son caractère me semblaient très désagréables. Cependant c'est une sainte religieuse qui doit être très agréable au bon Dieu. Aussi ne voulant pas céder à l'antipathie naturelle que j'éprouvais, je me suis dit que la charité ne devait pas consister dans les sentiments, mais dans les œuvres. Alors je me suis appliquée à faire pour cette sœur ce que j'aurais fait pour la personne que j'aime le plus. À chaque fois que je la rencontrais je priais le bon Dieu pour elle, lui offrant toutes ses vertus et ses mérites [...].

Je ne me contentais pas de prier beaucoup pour la sœur qui me donnait tant de combats. Je tâchais de lui rendre tous les services possibles et quand j'avais la tentation de lui répondre d'une façon désagréable, je me contentais de lui faire mon plus aimable sourire et je tâchais de détourner la conversation [...]. Lorsque mes combats étaient trop violents, je m'enfuyais comme un déserteur. Comme elle ignorait absolument ce que je sentais pour elle, jamais elle n'a soupçonné les motifs de ma conduite et demeure persuadée que son caractère m'est agréable. Un jour à la récréation, elle me dit à peu près ces paroles d'un air très content : « Voudriez-vous me dire, ma sœur Thérèse de l'Enfant-Jésus, ce qui vous attire tant vers moi, à chaque fois que vous me regardez, je vous vois sourire ? Ah ! ce qui m'attirait, c'était Jésus caché au fond de son âme… Jésus qui rend doux ce qu'il y a de plus amer… Je lui répondis que je souriais parce que j'étais contente de la voir ! Bien entendu je n'ajoutai pas que c'était au point de vue spirituel ! (Ms C, 13v°-14r°.)

Lorsque je veux augmenter en moi cet amour, lorsque surtout le démon essaie de me mettre devant les yeux de l'âme les défauts de telle ou telle sœur qui m'est moins sympathique, je m'empresse de rechercher ses vertus, ses bons désirs (Ms C, 12v°).

Si vous voulez tirer un grand profit de vos récréations, n'y allez pas avec la pensée de vous récréer, mais avec celle de récréer les autres. Pratiquez-y un complet détachement de vous-même (CSG, 131).

Renoncer à ses derniers droits. Se considérer comme la servante, l'esclave des autres (Ms C, 16v°).

Il faudrait surtout être humble de cœur et vous ne l'êtes point, tant que vous ne voulez pas que tout le monde vous commande (CSG, 18).

J'ai pris l'habitude d'obéir à chacune comme si c'était le bon Dieu qui me manifestait sa volonté (JEV, 225).

J'ai remarqué, et c'est tout naturel, que les sœurs les plus saintes sont les plus aimées, on recherche leur conversation, on leur rend des services sans qu'elles les demandent [...].

Les âmes imparfaites au contraire, ne sont point recherchées, sans doute on se tient à leur égard dans les bornes de la politesse religieuse, mais craignant peut-être de leur dire quelques paroles peu aimables, on évite leur compagnie. — En disant les âmes imparfaites, je ne veux pas seulement parler des imperfections spirituelles, puisque les plus saintes ne seront parfaites qu'au

Ciel, je veux parler du manque de jugement, d'éducation, de la susceptibilité de certains caractères, toutes choses qui ne rendent pas la vie très agréable. Je sais bien que ces infirmités morales sont chroniques, il n'y a pas d'espoir de guérison, mais je sais bien aussi que ma Mère ne cesserait pas de me soigner, d'essayer de me soulager si je restais malade toute ma vie. Voici la conclusion que j'en tire : Je dois rechercher en récréation, en licence, la compagnie des sœurs qui me sont le moins agréables, remplir près de ces âmes blessées l'office du bon Samaritain. Une parole, un sourire aimable, suffisent souvent pour épanouir une âme triste ; mais ce n'est pas absolument pour atteindre ce but que je veux pratiquer la charité car je sais que bientôt je serais découragée : un mot que j'aurai dit avec la meilleure intention sera peut-être interprété tout de travers. Aussi pour ne pas perdre mon temps, je veux être aimable avec tout le monde, et particulièrement avec les sœurs les moins aimables, pour réjouir Jésus et répondre au conseil qu'il donne dans l'Évangile à peu près en ces termes : « Quand vous faites un festin, n'invitez pas vos parents et vos amis de peur qu'ils ne vous invitent à leur tour et qu'ainsi vous ayez reçu votre récompense ; mais invitez les pauvres, les boiteux, les paralytiques et vous serez heureux de ce qu'ils ne pourront vous rendre, car votre Père qui voit dans le secret vous en récompensera. »

Quel festin pourrait offrir une carmélite à ses sœurs si ce n'est un festin spirituel composé de charité aimable et joyeuse ? Pour moi, je n'en connais pas d'autre (Ms C, 27v°-28v°).

Semant la paix, la joie dans tous les cœurs.

(PN 17)

Il faut vous habituer à laisser paraître votre reconnaissance, à remercier à plein cœur pour la moindre chose. C'est pratiquer la charité que d'agir ainsi. Autrement, bien que l'indifférence ne soit qu'extérieure peut-être, elle glace le cœur et détruit la cordialité si nécessaire en communauté (HA, 233).

Il faut aller au-devant des désirs, avoir l'air très obligée et très honorée de rendre service (Ms C, 17r°).

Faire attendre un service, le promettre pour plus tard, ce n'est pas accomplir parfaitement la charité (HA, 223).

Ses dimanches et fêtes chômés, le peu de temps que Thérèse avait de libre, passait à faire plaisir aux autres (CSG, 96).

Il y a une façon si gracieuse de refuser ce qu'on ne peut donner, que le refus fait autant de plaisir que le don (Ms C, 18r°).

Combien la nature est portée à trouver facile ce qui vient de notre inspiration personnelle, tandis qu'au contraire il y a toujours des *si* et des *mais* quand ce sont les idées des autres qu'il faut adopter (CSG, 134).

Quand je souffre beaucoup, je suis contente que ce soit moi ; je suis contente que ce ne soit pas une de vous (JEV, 136).

Cela fait tant de bien, quand on souffre, d'avoir des cœurs amis dont l'écho répond à notre douleur ! (LT 88)

*

Dans son autobiographie Thérèse nous raconte avec humour quelques expériences de charité fraternelle. Choses insignifiantes ? Peut-être à première vue, mais essayons pendant une seule journée !

Longtemps, à l'oraison du soir, je fus placée devant une sœur qui avait une drôle de manie, et je pense… beaucoup de lumières, car elle se servait rarement d'un livre. Voici comment je m'en apercevais. Aussitôt que cette sœur était arrivée, elle se mettait à faire un étrange petit bruit qui ressemblait à celui qu'on ferait en frottant deux coquillages l'un contre l'autre. Il n'y avait que moi qui m'en apercevais ; car j'ai l'oreille extrêmement fine, un peu trop parfois. Vous dire combien ce petit bruit me fatiguait, c'est chose impossible. J'avais grande envie de tourner la tête et de regarder la coupable, qui, bien sûr, ne s'apercevait pas de son tic, c'était l'unique moyen de l'éclairer. Mais au fond du cœur je sentais qu'il valait mieux souffrir cela pour l'amour du bon Dieu et pour ne pas faire de la peine à la sœur.

Je restais donc tranquille, j'essayais de m'unir au bon Dieu, d'oublier le petit bruit... Tout était inutile, je sentais la sueur qui m'inondait et j'étais obligée de faire simplement une oraison de souffrance, mais tout en souffrant, je cherchais le moyen de le faire non pas avec agacement, mais avec joie et paix, au moins dans l'intime de l'âme. Alors je tâchais d'aimer le petit bruit si désagréable. Au lieu d'essayer de ne pas l'entendre (chose impossible), je mettais mon attention à le bien écouter, comme s'il eût été un ravissant concert et toute mon oraison (qui n'était pas celle de quiétude) se passait à offrir ce concert à Jésus (Ms C, 30r° et v°).

Une autre fois, j'étais au lavage devant une sœur qui me lançait de l'eau sale à la figure à chaque fois qu'elle soulevait les mouchoirs sur son banc. Mon premier mouvement fut de me reculer en m'essuyant la figure, afin de montrer à la sœur qui m'aspergeait qu'elle me rendrait service en se tenant tranquille, mais aussitôt je pensai que j'étais bien sotte de refuser des trésors qui m'étaient donnés si généreusement, et je me gardai bien de faire paraître mon combat. Je fis tous mes efforts pour désirer de recevoir beaucoup d'eau sale, de sorte qu'à la fin j'avais vraiment pris goût à ce nouveau genre d'aspersion et je me promis de revenir une autre fois à cette heureuse place où l'on recevait tant de trésors (Ms C, 30v°-31r°).

Je me souviens d'un acte de charité que le bon Dieu m'inspira de faire étant encore novice. C'était peu de chose, cependant notre Père qui voit dans le secret, qui regarde plus à l'intention qu'à la grandeur de l'action, m'en a déjà récompensée, sans attendre l'autre vie.

C'était du temps que sœur Saint-Pierre allait encore au chœur et au réfectoire. À l'oraison du soir elle était placée devant moi. Dix minutes avant six heures, il fallait qu'une sœur se dérange pour la conduire au réfectoire, car les infirmières avaient trop de malades pour venir la chercher. Cela me coûtait beaucoup de me proposer pour rendre ce petit service, car je savais que ce n'était pas facile de contenter cette pauvre sœur Saint-Pierre qui souffrait tant qu'elle n'aimait pas à changer de conductrice. Cependant je ne voulais pas manquer une si belle occasion d'exercer la charité, me souvenant que Jésus avait dit : « Ce que vous ferez au plus petit des miens c'est à moi que vous l'aurez fait. » Je m'offris donc bien humblement pour la conduire ce ne fut pas sans mal que je parvins à faire accepter mes services ! Enfin je me mis à l'œuvre et j'avais tant de bonne volonté que je réussis parfaitement.

Chaque soir quand je voyais ma sœur Saint-Pierre secouer son sablier, je savais que cela voulait dire : partons ! C'est incroyable comme cela me coûtait de me déranger, surtout dans le commencement. Je le faisais pourtant immédiatement, et puis, toute une cérémonie commençait. Il fallait remuer et porter le banc d'une certaine manière, surtout ne pas se presser, ensuite la promenade avait lieu. Il s'agissait de suivre la pauvre infirme en la soutenant par sa ceinture. Je le faisais avec le plus de douceur qu'il m'était possible, mais si, par malheur, elle faisait un faux pas, aussitôt il lui semblait que je la tenais mal et qu'elle allait tomber. — « Ah ! mon Dieu ! vous allez trop vite, j'vais m'briser. » Si j'essayais d'aller encore plus doucement : — « Mais suivez-moi donc ! Je n'sens pus vot'main, vous m'avez lâchée, j'vais tomber ;

ah ! j'avais bien dit qu'vous étiez trop jeune pour me conduire. »

Enfin nous arrivions sans accident au réfectoire. Là survenaient d'autres difficultés, il s'agissait de faire asseoir sœur Saint-Pierre et d'agir adroitement pour ne pas la blesser. Ensuite il fallait relever ses manches (encore d'une certaine manière), puis j'étais libre de m'en aller. Avec ses pauvres mains estropiées, elle arrangeait son pain dans son godet, comme elle pouvait. Je m'en aperçus bientôt et, chaque soir, je ne la quittai qu'après lui avoir encore rendu ce petit service. Comme elle ne me l'avait pas demandé, elle fut très touchée de mon attention et ce fut par ce moyen que je n'avais pas cherché exprès, que je gagnai tout à fait ses bonnes grâces et surtout (je l'ai su plus tard) parce que, après avoir coupé son pain, je lui faisais avant de m'en aller, mon plus beau sourire [...].

Un soir d'hiver j'accomplissais comme d'habitude mon petit office, il faisait froid, il faisait nuit… Tout à coup, j'entendis dans le lointain le son harmonieux d'un instrument de musique.

Alors je me représentai un salon bien éclairé, tout brillant de dorures, des jeunes filles élégamment vêtues se faisant mutuellement des compliments et des politesses mondaines. Puis mon regard se porta sur la pauvre malade que je soutenais. Au lieu d'une mélodie j'entendais de temps en temps ses gémissements plaintifs, au lieu de dorures, je voyais les briques de notre cloître austère, à peine éclairé par une faible lueur. Je ne puis exprimer ce qui se passa dans mon âme, ce que je sais c'est que le Seigneur l'illumina des rayons de la *vérité* qui surpassèrent tellement l'éclat ténébreux des fêtes de la terre, que je ne pouvais croire à mon bonheur. Ah ! pour jouir mille ans des fêtes mondaines, je n'aurais pas donné les dix minutes employées à remplir mon humble office de charité… Si déjà dans la souffrance, au sein du combat, on peut jouir un instant d'un bonheur qui surpasse tous les bonheurs de la terre, en pensant que le bon Dieu nous a retirées du monde, que sera-ce dans le Ciel lorsque nous verrons, au sein d'une allégresse et d'un repos éternels, la grâce incomparable que le Seigneur nous a faite en nous choisissant pour, habiter dans sa maison, véritable portique des cieux ? [...] Aussi lorsque je conduisais ma sœur Saint-Pierre, je le faisais avec tant d'amour qu'il m'aurait été impossible de mieux faire si j'avais dû conduire Jésus lui-même (Ms C, 28v°-30r°).

*

Surtout, qui suis-je pour juger mon prochain ?

Afin de n'être pas jugée du tout, je veux toujours avoir des pensées charitables, car Jésus a dit : « Ne jugez pas et vous ne serez pas jugés » (Ms C, 13v°).

Elle me disait fréquemment qu'on doit toujours juger les autres avec charité, car très souvent ce qui paraît négligence à nos yeux est héroïsme aux yeux de Dieu.

Une personne fatiguée, qui a la migraine ou qui souffre dans son âme, fait plus, en accomplissant la moitié de sa besogne, qu'une autre, saine de corps et d'esprit, qui la fait tout entière. Notre jugement doit donc être, en toute occasion, favorable au prochain. On doit toujours penser le bien, toujours excuser (CSG, 107).

Se croire soi-même imparfaite et trouver les autres parfaits voilà le bonheur. [...] Il n'y a rien de plus doux que de penser du bien de notre prochain (CSG, 25).

Il ne faut pas que vous soyez juge de paix. Il n'y a que le bon Dieu qui ait ce droit. Votre mission à vous, c'est d'être un ange de paix (CSG, 106).

Il y a recherche de soi. On ne voit plus juste (HA, 242).

J'aimerais mille fois mieux recevoir des reproches que d'en faire aux autres (Ms C, 23r°).

Pour qu'une réprimande porte du fruit, il faut que cela coûte de la faire. Et il faut la faire sans une ombre de passion dans le cœur (CSG, 8).

Il faudrait que vous deveniez bien douce. Jamais de paroles dures, de ton dur. Ne prenez jamais un air dur, soyez toujours douce (JEV, 230).

Ça rend si bon d'avoir de la peine, ça porte à être régulière et charitable (JEV, 65).

*

Nourrie de l'amour de Jésus, la charité de Thérèse est comme un arbre toujours en croissance : en hauteur, en profondeur, en largeur.

En se donnant à Dieu le cœur ne perd pas sa tendresse naturelle, cette tendresse au contraire grandit en devenant plus pure et plus divine (Ms C, 9r°).

Plus elle apprend à aimer Jésus, et plus aussi sa tendresse devient grande pour ses parents chéris (LT 133).

Le bon Dieu m'a donné un cœur si fidèle que lorsqu'il a aimé purement, il aime toujours (Ms A, 38r°).

L'amour se nourrit de sacrifices ; plus l'âme se refuse de satisfactions naturelles, plus sa tendresse devient forte et désintéressée (Ms C, 21v°).

Au sujet de Céline, sa sœur et grande amie :

Oui, nous nous aimions, mais notre affection était si pure et si forte que la pensée de la séparation ne nous troublait pas, car nous sentions que rien, même l'océan, ne pourrait nous éloigner l'une de l'autre (Ms A, 62r°).

*

La charité invite aussi Thérèse à s'occuper de la formation de ses jeunes sœurs, en tant que maîtresse des novices. C'est l'amour et la sagesse de Jésus qu'elle leur transmet.

Lorsqu'il me fut donné de pénétrer dans le sanctuaire des âmes, je vis tout de suite que la tâche était au-dessus de mes forces. Alors je me suis mise dans les bras du bon Dieu, comme un petit enfant et je Lui ai dit : Seigneur, je suis trop petite pour nourrir vos enfants. Si vous voulez leur donner par moi ce qui convient à chacune, remplissez ma petite main et sans quitter vos bras, sans détourner la tête, je donnerai vos trésors à l'âme qui viendra me demander sa nourriture.

Si elle la trouve à son goût, je saurai que ce n'est pas à moi, mais à vous qu'elle le doit; au contraire si elle se plaint et trouve amer ce que je lui présente, ma paix ne sera pas troublée, je tâcherai de la persuader que cette nourriture vient de vous et me garderai bien d'en chercher une autre pour elle.

Ma Mère, depuis que j'ai compris qu'il m'était impossible de rien faire par moi-même, la tâche que vous m'avez imposée ne me parut plus difficile, j'ai senti que l'unique chose nécessaire était de m'unir de plus en plus à Jésus et que le reste me serait donné par surcroît. En effet jamais mon espérance n'a été trompée. Le bon Dieu a daigné remplir ma petite main autant de fois qu'il a été nécessaire pour nourrir l'âme de mes sœurs (Ms C, 22r° et v°).

De loin cela paraît tout rose de faire du bien aux âmes, de leur faire aimer Dieu davantage, enfin de les modeler d'après ses vues et ses pensées personnelles. De près c'est tout le contraire, le rose a disparu… On sent que faire du bien, c'est chose aussi impossible sans le secours du bon Dieu que de faire briller le soleil dans la nuit. On sent qu'il faut absolument oublier ses goûts, ses conceptions personnelles et guider les âmes par le chemin que Jésus leur a tracé, sans essayer de les faire marcher par sa propre voie (Ms C, 22v°).

Je jette à droite, à gauche, à mes petits oiseaux, les bonnes graines que le bon Dieu met dans ma petite main. Et puis, ça fait comme ça veut ! Je ne m'en occupe plus. Quelquefois, c'est comme si je n'avais rien jeté. À d'autres moments, cela fait du bien. Mais le bon Dieu me dit : « Donne, donne toujours sans t'occuper du résultat » (JEV, 29).

3. Ta part dans l'Église

Une petite légende, que Thérèse aima beaucoup, illustre bien comment elle voit sa coresponsabilité dans l'Église.

J'ai lu *(racontait sœur Thérèse)*, qu'un grand seigneur, voulant faire élever une église publia un édit par lequel il défendait à ses vassaux de faire la plus petite aumône à cette intention, parce que lui seul voulait en avoir la gloire. Ainsi l'église se bâtit.

Cependant, un jour, une pauvre vieille femme, voyant les chevaux, qui transportaient les pierres, gravir avec peine la colline, se dit en elle-même : « Il est défendu de donner de l'argent pour faire construire ce temple à Dieu, j'aurais pourtant été si heureuse d'y contribuer. Mais si j'aidais les animaux qui travaillent inconsciemment à cette grande œuvre, le bon Dieu serait peut-être content ? » Avec quelques sous, ses derniers, elle acheta une botte de foin et la donna aux chevaux.

Quand l'église fut achevée, le seigneur voulut en faire célébrer la dédicace et, à cet effet fit graver sur une pierre son nom et celui de sa famille, en immortel témoignage de sa libéralité. Mais voilà que, le lendemain, ce nom se trouva effacé et on lut à la place celui d'une pauvre femme inconnue.

Le seigneur, furieux, fit recommencer l'inscription à plusieurs reprises ; toujours le miracle se reproduisait. Enfin, il ordonna des recherches et, ayant trouvé l'humble femme, lui demanda si elle n'avait point donné quelque chose pour construire l'église. Toute tremblante, elle s'en excusa. Puis, pressée de questions, elle se souvint de la botte de foin et dit que, suivant la défense elle n'avait pas donné d'argent, mais seulement aidé les chevaux en leur faisant manger un peu de foin. On comprit alors pourquoi son nom était inscrit et personne n'osa plus l'effacer.

Ainsi, conclut Thérèse, vous voyez bien que la plus petite œuvre, la plus cachée, faite par amour, a souvent plus de prix que les grandes œuvres. Ce n'est pas la valeur ni même la sainteté apparente des actions qui compte, mais seulement l'amour qu'on y met, et nul ne saurait dire qu'il ne peut donner ces petites choses au bon Dieu, car elles sont à la portée de tous (CSG, 64).

> *À l'âge de quatorze ans le feu apostolique commence à la dévorer.*

Jésus fit de moi un pêcheur d'âmes, je sentis un grand désir de travailler à la conversion des pécheurs, désir que je n'avais pas senti aussi vivement [...].

Un dimanche en regardant une photographie de Notre-Seigneur en Croix, je fus frappée par le sang qui tombait d'une de ses mains divines. J'éprouvai une grande peine en pensant que ce sang tombait à terre sans que personne ne s'empresse de le recueillir, et je résolus de me tenir en esprit au pied de la Croix pour recevoir la divine rosée qui en découlait, comprenant qu'il

me faudrait ensuite la répandre sur les âmes…
Le cri de Jésus sur la Croix retentissait aussi conti-
nuellement dans mon cœur : « J'ai soif ! » Ces
paroles allumaient en moi une ardeur inconnue
et très vive. Je voulais donner à boire à mon Bien-
Aimé et je me sentais moi-même dévorée de la
soif des âmes… (Ms A, 45v°.)

Aimer Jésus, c'est aimer l'Église.

Ô mon Jésus, je t'aime, j'aime l'Église (Ms B, 4v°).

L'Église qui est remplie de pécheurs… (JEV, 121)

Le zèle d'une carmélite doit embrasser le monde
[…]. Enfin je veux être fille de l'Église (Ms C, 33v°).

Moi, son enfant, je m'immole pour elle.

(PN 17)

*Rien ne lui colle aux doigts. Tout est pour les
autres.*

Rien ne me tient aux mains. Tout ce que j'ai, tout
ce que je gagne, c'est pour l'Église et les âmes.

Que je vive jusqu'à quatre-vingts ans, je serai toujours aussi pauvre (JEV, 72).

Si j'avais été riche, il m'aurait été impossible de voir un pauvre ayant faim sans lui donner aussitôt de mes biens. Ainsi à mesure que je gagne quelque trésor spirituel, sentant qu'au même instant des âmes sont en danger de se perdre et de tomber en enfer, je leur donne tout ce que je possède, et je n'ai pas encore trouvé un moment pour me dire : Maintenant je vais travailler pour moi (JEV, 77).

Je ne désire pas que vous demandiez au bon Dieu de me délivrer des flammes du purgatoire. Sainte Thérèse disait à ses filles, lorsqu'elles voulaient prier pour elles-mêmes : « Que m'importe à moi de rester jusqu'à la fin du monde en purgatoire, si par mes prières je sauve une seule âme. » Cette parole trouve écho dans mon cœur, je voudrais sauver des âmes et m'oublier pour elles. Je voudrais en sauver même après ma mort, aussi je serais heureuse que vous disiez alors, au lieu de la petite prière que vous faites et qui sera pour toujours réalisée : « Mon Dieu, permettez à ma sœur de vous faire encore aimer. » Si Jésus vous exauce, je saurai bien vous témoigner ma reconnaissance (LT 221).

*

Combien de fois entendrons-nous dans sa bouche ces paroles : « Le faire aimer », « les âmes ».

La seule chose que je vous prie de demander pour mon âme, c'est la grâce d'aimer Jésus et de le faire aimer autant que cela m'est possible (LT 218).

Ce que nous lui demandons, c'est de travailler pour sa gloire, c'est de l'aimer et de le faire aimer. Comment notre union et notre prière ne seraient-elles pas bénies ? (LT 220)

Vous le savez, une carmélite qui ne serait pas apôtre s'éloignerait du but de sa vocation et cesserait d'être fille de la séraphique sainte Thérèse qui désirait donner mille vies pour sauver une seule âme (LT 198).

Tout le sang d'un Dieu a été versé pour les sauver…
(LT 85)

Pour une souffrance supportée avec joie, quand je pense que pendant toute l'éternité on aimera mieux le bon Dieu ! Puis, en souffrant, on peut sauver les âmes. Ah ! Pauline, si au moment de ma mort, je pouvais avoir une âme à offrir à Jésus, que je serais heureuse ! Il y aurait une âme qui serait arrachée au feu de l'enfer et qui bénirait Dieu toute l'éternité (LT 43 B).

La vie est donc un songe ? Et dire qu'avec ce songe nous pouvons sauver les âmes ! Ah ! Céline, n'oublions pas les âmes, mais oublions-nous pour elles (LT 130).

Travaillons ensemble au salut des âmes. Nous n'avons que l'unique jour de cette vie pour les sauver et donner ainsi au Seigneur des preuves de notre amour (LT 213).

Demandez à Jésus que moi aussi, je l'aime et que je le fasse aimer. Je voudrais l'aimer, non d'un amour ordinaire, mais comme les saints qui faisaient pour lui des folies. Hélas ! que je suis loin de leur ressembler ! Demandez encore à Jésus que je fasse toujours sa volonté, pour cela je suis prête à traverser le monde et je suis prête aussi à mourir ! (LT 225)

Plus je me sens brûler de tes divines flammes,
Plus je suis altérée de te donner des âmes.

(PN 24)

*

Par-dessus tout, Thérèse veut être « l'apôtre des apôtres par la prière et le sacrifice », (Ms A, 50r°). C'est encore une découverte de ses quatorze ans, lors du pèlerinage à Rome.

Pendant un mois j'ai vécu avec beaucoup de saints prêtres et j'ai vu que, si leur sublime dignité les élève au-dessus des anges, ils n'en sont pas moins des hommes faibles et fragiles [...].

Qu'elle est belle la vocation ayant pour but de conserver le sel destiné aux âmes ! Cette vocation est celle du Carmel, puisque l'unique fin de nos prières et de nos sacrifices est d'être l'apôtre des apôtres, priant pour eux pendant qu'ils évangélisent les âmes par leurs paroles et surtout par leurs exemples. Il faut que je m'arrête, si je continuais de parler sur ce sujet je ne finirais pas !... (Ms A, 56r° et v°)

Elle disait que prier pour les prêtres, c'était faire le commerce en gros, puisque, par la tête, elle atteignait les membres (CSG, 108).

Oh ! que le bon Dieu est peu aimé sur la terre !... Même des prêtres et des religieux… Non, le bon Dieu n'est pas beaucoup aimé… (JEV, 120)

Pendant les courts instants qui nous restent, ne perdons pas notre temps [...]. Vivons pour les âmes, soyons apôtres, sauvons surtout les âmes des prêtres, ces âmes devraient être plus transparentes que le cristal… Hélas ! combien de mauvais prêtres, de prêtres qui ne sont pas assez saints ! Prions, souffrons pour eux et au dernier jour Jésus sera reconnaissant. Nous lui donnerons des âmes !... Céline, comprends-tu le cri de mon cœur ? (LT 94)

Céline, je sens que Jésus demande de nous deux de désaltérer sa soif en lui donnant des âmes, des âmes de prêtres surtout. Je sens que Jésus veut que je te dise cela, car notre mission c'est de nous oublier, de nous anéantir. Nous sommes si peu de chose… et pourtant Jésus veut que le salut des âmes dépende de nos sacrifices, de notre amour, il nous mendie des âmes… Ah ! comprenons son regard ! Si peu savent le comprendre (LT 96).

Céline, si tu veux, convertissons les âmes, il faut que cette année nous fassions beaucoup de prêtres qui sachent aimer Jésus, qui le touchent avec la même délicatesse que Marie le touchait dans son berceau ! (LT 101)

C'est toujours la même chose que j'ai à te dire : Ah ! prions pour les prêtres. Chaque jour montre combien les amis de Jésus sont rares. Il me semble que c'est ce qui doit lui être le plus sensible, l'ingratitude, surtout de voir des âmes qui lui sont consacrées donner à d'autres le cœur qui lui appartient d'une façon si absolue… (LT 122)

Quelle joie quand sa prieure lui demande de prier tout spécialement pour Maurice Bellière, jeune séminariste. Il devient son premier « frère » spirituel.

Vous dire mon bonheur serait impossible. Mon désir comblé d'une façon inespérée fit naître dans mon cœur une joie que j'appellerai enfantine, car il me faut remonter aux jours de mon enfance pour trouver le souvenir de ces joies si vives que l'âme est trop petite pour les contenir. Jamais depuis des années je n'avais goûté ce genre de bonheur. Je sentais que de ce côté mon âme était neuve, c'était comme si l'on avait touché pour la première fois des cordes musicales restées jusque-là dans l'oubli (Ms C, 32r°).

*

Avec les prêtres, elle se sait liée. Elle leur écrit :

Je serai vraiment heureuse de travailler avec vous au salut des âmes. C'est dans ce but que je me suis faite carmélite. Ne pouvant être missionnaire

d'action, j'ai voulu l'être par l'amour et la péni-
tence comme sainte Thérèse (LT 189).

Comme Josué, vous combattez dans la plaine.
Moi, je suis votre petit Moïse et sans cesse mon
cœur est élevé vers le Ciel pour obtenir la vic-
toire. Ô mon Frère, que vous seriez à plaindre si
Jésus lui-même ne soutenait les bras de « votre
Moïse » ! (LT 201)

Travaillons ensemble au salut des âmes, dit-elle.

Moi, je puis faire bien peu de choses, ou plutôt
absolument rien si j'étais seule. Ce qui me
console c'est de penser qu'à vos côtés, je puis servir à quelque chose. En effet, le zéro, par lui-
même, n'a pas de valeur, mais placé près de
l'unité, il devient puissant, pourvu toutefois qu'il
se mette du bon côté, après et non pas avant !...
C'est bien là que Jésus m'a placée et j'espère y
rester toujours, en vous suivant de loin, par la
prière et le sacrifice (LT 226).

Ce que l'enfant demande, c'est l'amour. Il ne sait
plus qu'une chose, t'aimer, ô Jésus… Les œuvres

éclatantes lui sont interdites, il ne peut prêcher l'Évangile, verser son sang… Mais qu'importe, ses frères travaillent à sa place, et lui, petit enfant, il se tient tout près du trône du Roi et de la Reine, il aime pour ses frères qui combattent… (Ms B, 4r°.)

Céline, je trouve que notre part est bien belle !… Qu'avons-nous à envier aux prêtres ? (LT 135)

*

Si Thérèse est convaincue de la valeur rédemptrice de sa vie vouée à la prière, où il n'y a autre chose que ses « riens » et les attentions de ses « fleurs », c'est parce qu'elle croit que Dieu est la source du salut.

Ne lui refusons pas le moindre sacrifice. Tout est si grand en religion… Ramasser une épingle par amour peut convertir une âme ! Quel mystère ! Ah ! c'est Jésus qui peut seul donner un tel prix à nos actions, aimons-le donc de toutes nos forces (LT 164).

Jésus, à quoi te serviront mes fleurs et mes chants ? [...] Ces chants d'amour du plus petit des cœurs te charmeront, oui, ces riens te feront plaisir, ils feront sourire l'Église triomphante. [...] Ces fleurs, ayant acquis par ton attouchement divin une valeur infinie, elle les jettera sur l'Église (Ms B, 4v°).

J'aime l'Église ma Mère. Je me souviens que le plus petit mouvement de pur amour lui est plus utile que toutes les autres œuvres réunies ensemble » (Ms B, 4v°).

Je suis si imparfaite que mes pauvres prières n'ont pas sans doute beaucoup de prix. Mais il est des mendiants qui, à force d'importuner, obtiennent ce qu'ils désirent. Je ferai comme eux et le bon Dieu ne pourra me renvoyer les mains vides (LT 99).

Je sens bien que le bon Dieu est trop bon pour faire des partages. Il est si riche qu'il donne sans mesure tout ce que je lui demande (Ms C, 33v°).

De même qu'avec une toute petite flamme faible et tremblante, on peut allumer un grand incendie, ainsi le bon Dieu se sert de qui Il veut pour étendre son règne. Un livre ordinaire, profane même, peut y servir. Il n'y a donc jamais à s'enorgueillir quand nous sommes pris comme instruments. Le bon Dieu n'a besoin de personne (CSG, 161).

*

Souvent elle souligne la fécondité apostolique de la prière.

C'est la prière, c'est le sacrifice qui font toute ma force. Ce sont les armes invincibles que Jésus m'a données. Elles peuvent bien plus que les paroles toucher les âmes, j'en ai fait bien souvent l'expérience (Ms C, 24v°).

Jésus veut bien faire dépendre leur salut d'un soupir de notre cœur. Quel mystère ! (LT 85)

Jésus nous enseigne qu'il suffit de frapper pour qu'on ouvre, de chercher pour trouver et de tendre humblement la main pour recevoir ce que l'on demande. Il dit encore que tout ce que l'on demande à son Père en son nom, il l'accorde (Ms C, 35v°).

Qu'elle est donc grande la puissance de la prière ! On dirait une reine ayant à chaque instant libre accès auprès du roi et pouvant obtenir tout ce qu'elle demande (Ms C, 25r°).

Je puis tout obtenir lorsque, dans le mystère,
Je parle cœur à cœur avec mon divin Roi (PN 32).

Un jour je pensais à ce que je pouvais faire pour sauver les âmes. Une parole de l'Évangile m'a montré une vive lumière. Autrefois, Jésus disait à ses disciples en leur montrant les champs de blés murs : « Levez les yeux et voyez comme les campagnes sont déjà assez blanches pour être moissonnées », et un peu plus tard : « À la vérité, la moisson est abondante, mais le nombre des ouvriers est petit. Demandez donc au Maître de la moisson qu'il envoie des ouvriers. »

Quel mystère ! Jésus n'est-il pas tout-puissant ? Les créatures ne sont-elles pas à Celui qui les a faites ? Pourquoi Jésus dit-il donc : « Demandez au Maître de la moisson qu'il envoie des ouvriers ? » Pourquoi ? Ah ! c'est que Jésus a pour nous un amour si incompréhensible, qu'il veut que nous ayons part avec lui au salut des âmes. Il ne veut rien faire sans nous. Le Créateur de l'univers attend la prière d'une pauvre petite âme pour sauver les autres âmes rachetées comme elle au prix de tout son sang.

Notre vocation à nous, ce n'est pas d'aller moissonner dans les champs de blés murs. Jésus ne nous dit pas : « Baissez les yeux, regardez les campagnes et allez les moissonner. » Notre mission est encore plus sublime. Voici les paroles de notre Jésus : « Levez les yeux et voyez. » Voyez comme dans mon Ciel il y a des places vides ; c'est à vous de les remplir. Vous êtes mes Moïse priant sur la montagne. Demandez-moi des ouvriers, et j'en enverrai, je n'attends qu'une prière, un soupir de votre cœur !

L'apostolat de la prière n'est-il pas, pour ainsi dire, plus élevé que celui de la parole ? Notre mission, comme carmélites, est de former des ouvriers évangéliques qui sauveront des milliers d'âmes dont nous serons les mères ! (LT 135)

*

Elle souligne aussi la valeur du sacrifice, de la souffrance.

Ce que je venais faire au Carmel, je l'ai déclaré aux pieds de Jésus-Hostie, dans l'examen qui précéda ma profession : « Je suis venue pour sauver les âmes et surtout afin de prier pour les prêtres. » Lorsqu'on veut atteindre un but, il faut en prendre les moyens. Jésus me fit comprendre que c'était par la croix qu'il voulait me donner des âmes et mon attrait pour la souffrance grandit à mesure que la souffrance augmentait (Ms A, 69v°).

Oui, il n'y a que la souffrance qui puisse enfanter des âmes à Jésus (LT 129).

Il est si doux d'aider Jésus par nos légers sacrifices, de lui aider à sauver les âmes qu'il a rachetées au prix de son sang, et qui n'attendent que notre secours pour ne pas tomber dans l'abîme (LT 191).

Une promenade quotidienne au jardin avait été conseillée à Thérèse. Un jour une sœur la rencontre à bout de forces. Protestations ! Thérèse répond :

Savez-vous ce qui me donne des forces ? Eh bien, je marche pour un missionnaire. Je pense que là-bas, bien loin, l'un d'eux est peut-être épuisé dans ses courses apostoliques, et pour diminuer ses fatigues, j'offre les miennes au bon Dieu (JEV, 228).

À son frère spirituel Maurice Bellière :

Je demande à Notre-Seigneur de ne jamais me laisser jouir lorsque vous souffrirez. Je voudrais même que mon frère ait toujours les consolations et moi les épreuves, c'est peut-être égoïste ? Mais non, puisque ma seule arme est l'amour et la souffrance, et que votre glaive est celui de la parole et des travaux apostoliques (LT 193).

Pendant sa maladie :

— Comment arrangez-vous votre petite vie maintenant ?

— Ma petite vie, c'est de souffrir et puis ça y est ! Je ne pourrais pas dire : Mon Dieu, c'est pour l'Église, mon Dieu c'est pour la France, etc... Le bon Dieu sait bien ce qu'il faut qu'il en fasse. Je lui ai tout donné pour lui faire plaisir. Et puis ça me fatiguerait trop de lui dire : Donnez ceci à Pierre, donnez ceci à Paul. Je ne le fais bien vite que lorsqu'une sœur me le demande, et après je n'y pense plus. Quand je prie pour mes frères missionnaires, je n'offre pas mes souffrances, je dis tout simplement : Mon Dieu, donnez-leur tout ce que je désire pour moi (JEV, 113).

Le jour de sa mort :

Jamais je n'aurais cru qu'il était possible de tant souffrir ! Jamais ! jamais ! Je ne puis m'expliquer cela que par les désirs ardents que j'ai eus de sauver les âmes (JEV, 185).

*

Dans une page célèbre Thérèse a exposé sa conviction : comment toute véritable union à Dieu a une répercussion apostolique.

Jésus m'a donné un moyen simple d'accomplir ma mission. Il m'a fait comprendre cette parole des Cantiques : « Attirez-moi, nous courrons à l'odeur de vos parfums. » Ô Jésus, il n'est donc même pas nécessaire de dire : « En m'attirant, attirez les âmes que j'aime ! » Cette simple parole : « Attirez-moi » suffit. Seigneur, je le comprends, lorsqu'une âme s'est laissée captiver par l'odeur enivrante de vos parfums, elle ne saurait courir seule, toutes les âmes qu'elle aime sont entraînées à sa suite, cela se fait sans contrainte, sans effort, c'est une conséquence naturelle de son attraction vers vous. De même qu'un torrent, se jetant avec impétuosité dans l'océan, entraîne après lui tout ce qu'il a rencontré sur son passage, de même, ô mon Jésus, l'âme qui se plonge dans l'océan sans rivages de votre amour, attire avec elle tous les trésors qu'elle possède… Seigneur, vous le savez, je n'ai point d'autres trésors que les âmes qu'il vous a plu d'unir à la mienne. [...]

Je sens que plus le feu de l'amour embrasera mon cœur, plus je dirai : Attirez-moi, plus aussi les âmes qui s'approcheront de moi (pauvre petit débris de fer inutile, si je m'éloignais du brasier divin), plus ces âmes courront avec vitesse à l'odeur des parfums de leur Bien-Aimé, car une âme embrasée d'amour ne peut rester inactive. Sans doute comme sainte Madeleine elle se tient aux pieds de Jésus, elle écoute sa parole douce et enflammée. Paraissant ne rien donner, elle donne bien plus que Marthe qui se tourmente de beaucoup de choses et voudrait que sa sœur l'imite. Ce ne sont point les travaux de Marthe que Jésus blâme. Ces travaux, sa divine Mère s'y est humblement soumise toute sa vie puisqu'il lui fallait préparer les repas de la Sainte Famille. C'est l'inquiétude seule de son ardente hôtesse qu'il voudrait corriger. [...]

N'est-ce point dans l'oraison que les saints Paul, Augustin, Jean de la Croix, Thomas d'Aquin, François, Dominique et tant d'autres illustres amis de Dieu ont puisé cette science divine qui ravit les plus grands génies ? Un savant a dit : « Donnez-moi un levier, un point d'appui, et je soulèverai le monde. Ce qu'Archimède n'a pu obtenir, parce que sa demande ne s'adressait point à Dieu et qu'elle n'était faite qu'au point de vue matériel, les saints l'ont obtenu dans toute sa plénitude. Le Tout-Puissant leur a donné pour point d'appui : *lui-même et lui seul*. Pour levier : l'oraison, qui embrase d'un feu d'amour. Et c'est ainsi qu'ils ont soulevé le monde. C'est ainsi que les saints encore militants le soulèvent et que jusqu'à la fin du monde, les saints à venir le soulèveront aussi (Ms C, 34r°-36v°).

*

Tous, nous sommes réunis avec le Christ et les uns avec les autres dans la grande famille de la « communion des saints ».

Il en est de même pour la Communion des saints. Souvent, sans le savoir, les grâces et les lumières que nous recevons sont dues à une âme cachée, parce que le bon Dieu veut que les saints se communiquent les uns aux autres la grâce par la prière, afin qu'au Ciel ils s'aiment d'un grand amour, d'un amour bien plus grand encore que celui de la famille, même la famille la plus idéale de la terre. Combien de fois ai-je pensé que je pouvais devoir toutes les grâces que j'ai reçues aux prières d'une âme qui m'aurait demandée au bon Dieu et que je ne connaîtrai qu'au Ciel (JEV, 80).

Elle raconta le trait suivant dont le souvenir lui restait comme une grâce :

Sœur Marie de l'Eucharistie voulait allumer les cierges pour une procession ; elle n'avait pas d'allumettes, mais voyant la petite lampe qui brûle devant les reliques, elle s'en approche. Hélas ! elle la trouve à demi éteinte, il ne reste plus qu'une faible lueur sur la mèche carbonisée. Elle réussit cependant à allumer son cierge et, par ce cierge, tous ceux de la Communauté se trouvèrent allumés. C'est donc cette petite lampe à demi éteinte qui a produit ces belles flammes qui, à leur tour, peuvent en produire une infinité d'autres et même embraser l'univers. Pourtant ce serait toujours à la petite lampe qu'on devrait la première cause de cet embrasement. Comment les belles flammes pourraient-elles se glorifier, sachant cela, d'avoir fait un incendie pareil, puisqu'elles n'ont été allumées que par correspondance avec la petite étincelle ?... (JEV, 80)

Une faible étincelle, ô mystère de vie,
Suffit pour allumer un immense incendie.

(PN 24)

T'aimer Jésus, quelle perte féconde !

(PN 17)

4. Prie ton Père

La prière thérésienne est tout imprégnée de simplicité. Voici comment la sainte la définit :

Pour moi, la prière, c'est un élan du cœur, c'est un simple regard jeté vers le Ciel, c'est un cri de reconnaissance et d'amour au sein de l'épreuve comme au sein de la joie ; enfin c'est quelque chose de grand, de surnaturel, qui me dilate l'âme et m'unit à Jésus (Ms C, 25r° et v°).

Une nuit, pendant sa maladie :

— Que faites-vous donc ainsi ? Il faudrait essayer de dormir.
— Je ne puis pas, je souffre trop ! Alors je prie…
— Et que dites-vous à Jésus ?
— Je ne lui dis rien, je l'aime (JEV, 205).

Mon Ciel est de rester toujours en sa présence,
De l'appeler mon Père et d'être son enfant.

(PN 32)

Prier, c'est demander à Jésus que lui-même prie en nous.

Qu'est-ce donc de demander d'être *Attiré*, sinon de s'unir d'une manière intime à l'objet qui captive le cœur ? Si le feu et le fer avaient la raison et que ce dernier disait à l'autre : « Attire-moi », ne prouverait-il pas qu'il désire s'identifier au feu de manière qu'il le pénètre et l'imbibe de sa brûlante substance et semble ne faire qu'un avec lui ? Voici ma prière, je demande à Jésus de m'attirer dans les flammes de son amour, de m'unir si étroitement à lui, qu'il vive et agisse en moi (Ms C, 35v°-36r°).

Ce n'est plus moi qui vis, mais je vis de ta vie :
    Ton ciboire doré,
    Entre tous préféré,
    Jésus, c'est moi !

(PN 24)

Ce n'est pas pour rester dans le ciboire d'or que Jésus descend chaque jour du Ciel. C'est afin de trouver un autre Ciel qui lui est infiniment plus cher que le premier : le Ciel de notre âme, faite à son image, le temple vivant de l'adorable Trinité ! (Ms A, 48v°.)

*

Le Seigneur instruisit Thérèse dans la prière dès son enfance :

Un jour une de mes maîtresses de l'Abbaye me demanda ce que je faisais les jours de congé lorsque j'étais seule. Je lui répondis que j'allais derrière mon lit, dans un espace vide qui s'y trouvait et qu'il m'était facile de fermer avec le rideau et que là « je pensais ». — Mais à quoi pensez-vous ? me dit-elle. — Je pense au bon Dieu, à la vie… à l'éternité, enfin je pense !... La bonne religieuse rit beaucoup de moi, plus tard elle aimait à me rappeler le temps où je pensais, me demandant si je pensais encore… Je comprends maintenant que je faisais oraison sans le savoir et que déjà le bon Dieu m'instruisait en secret (Ms A, 33v°).

C'était dans mon lit que je faisais mes plus profondes oraisons et contrairement à l'épouse des Cantiques j'y trouvais toujours mon Bien-Aimé ! (Ms A, 31r°.)

Je dois aux belles images [...] une des plus douces joies et des plus fortes impressions qui m'aient excitée à la pratique de la vertu... J'oubliais les heures en les regardant, par exemple : « La petite fleur du Divin Prisonnier » me disait tant de choses que j'en étais plongée. Voyant que le nom de Pauline était écrit au bas de la petite fleur, j'aurais voulu que celui de Thérèse y fût aussi et je m'offrais à Jésus pour être sa petite fleur... (Ms A, 31v°.)

Jésus devient son grand Ami.

(À l'Abbaye) je restais devant le Saint-Sacrement jusqu'au moment où Papa venait me chercher. C'était ma seule consolation. Jésus n'était-il pas mon unique ami ? Je ne savais parler qu'à lui, les conversations avec les créatures, même les conversations pieuses me fatiguaient l'âme. Je sentais qu'il valait mieux parler à Dieu que de parler de Dieu, car il se mêle tant d'amour-propre dans les conversations spirituelles !... (Ms A, 40v°-41r°.)

Au sujet de son oraison, le soir au Belvédère, avec Céline.

Oui, c'était bien légèrement que nous suivions les traces de Jésus. Les étincelles d'amour qu'il semait à pleines mains dans nos âmes, le vin délicieux et fort qu'il nous donnait à boire faisait disparaître à nos yeux les choses passagères et de nos lèvres sortaient des aspirations d'amour inspirées par lui. [...] Comme le dit l'Imitation, le bon Dieu se communique parfois au milieu d'une vive splendeur ou bien « doucement voilé, sous des ombres et des figures ». C'était de cette manière qu'il daignait se manifester à nos âmes. Mais qu'il était transparent et léger le voile qui dérobait Jésus à nos regards ! Le doute n'était pas possible, déjà la foi et l'espérance n'étaient plus nécessaires, l'*amour* nous faisait trouver sur la terre Celui que nous cherchions. « L'ayant trouvé seul, il nous avait donné son baiser, afin qu'à l'avenir personne ne puisse nous mépriser » (Ms A, 48r°).

Ainsi elle devint mûre pour la vie contempla-
tive, où elle chercha « l'ineffable tendresse de
votre intimité » (RP 4).

À des amants il faut la solitude,
Un cœur à cœur qui dure nuit et jour.

(PN 17)

Mon Dieu, mon divin Maître,
Jésus, mon seul amour,
À vos pieds je veux être,
J'y fixe mon séjour.

(RP 4)

Ton seul regard fait ma béatitude.

(PN 17)

Un jour, sœur Geneviève l'interroge sur sa
manière de prier à l'Office divin.

Elle me répondit qu'elle n'avait pas de méthode
fixe, mais que souvent elle se voyait en imagi-
nation sur un rocher désert, devant l'immensité,
et là, seule avec Jésus, ayant la terre à ses pieds,
elle oubliait toutes les créatures et lui redisait son
amour (CSG, 75).

*

La prière de Thérèse est marquée par une attitude toute filiale. Elle va à Dieu sans ambages, comme un enfant à son père.

Aux âmes simples, il ne faut pas de moyens compliqués… (Ms C, 33v°)

En dehors de l'Office divin que je suis bien indigne de réciter, je n'ai pas le courage de m'astreindre à chercher dans les livres de belles prières, cela me fait mal à la tête, il y en a tant ! Et puis, elles sont toutes plus belles les unes que les autres. Je ne saurais les réciter toutes et ne sachant laquelle choisir, je fais comme les enfants qui ne savent pas lire. Je dis tout simplement au bon Dieu ce que je veux lui dire, sans faire de belles phrases, et toujours il me comprend (Ms C, 25r°).

Sœur Geneviève raconte :

Elle me demanda : « Aimez-vous mieux dire *tu* ou *vous* en priant Jésus ? » Je lui répondis que j'aimais mieux dire : *tu*. Toute soulagée, elle reprit : « Moi aussi, je préfère de beaucoup dire *tu* à Jésus ; cela exprime mieux mon amour et je n'y manque jamais quand je parle à Lui seul, mais dans mes poésies et les prières qui doivent êtres lues par d'autres je n'ose pas » (CSG, 82).

> *Un jour qu'elle se trouvait en face d'une bibliothèque, Thérèse dit :*

— Oh ! que je serais marrie d'avoir lu tous ces livres-là !

On insiste.

— Pourquoi donc, puisqu'ils seraient lus, ce serait un bien acquis. Je comprendrais regretter de les lire, mais pas de les avoir lus.
— Si je les avais lus je me serais cassé la tête, j'aurais perdu un temps précieux que j'aurais pu employer tout simplement à aimer le bon Dieu (JEV, 227).

Le bon Dieu ne se fatigue pas de m'entendre, lorsque je lui dis tout simplement mes peines et mes joies comme s'il ne les connaissait pas (Ms C, 32v°).

*

Thérèse revient souvent à la présence de Dieu.
Elle « pense toute la journée au bon Dieu »
(Ms A, 79r°).

Pour une carmélite, se souvenir et surtout aimer, c'est prier (LT 131).

Vous pourrez dire de moi : Ce n'est pas en ce monde qu'elle vivait, mais au Ciel, là où est son trésor (JEV, 128).

Très souvent c'est au réfectoire qu'il me vient les plus douces aspirations d'amour. Quelquefois, je suis contrainte de m'arrêter... (CSG, 129)

J'ai lu autrefois que les Israélites bâtirent les murs de Jérusalem travaillant d'une main et tenant une épée de l'autre. C'est bien l'image de ce que nous devons faire : ne travailler que d'une main, en effet, et de l'autre défendre notre âme de la dissipation qui l'empêche de s'unir au bon Dieu (CSG, 74).

*

La généreuse persévérance dans la prière, le souci de garder la présence de Dieu, tout cela n'empêche pas la contemplative de rencontrer beaucoup d'aridité dans ses oraisons.

Mon désir des souffrances était comblé, cependant mon attrait pour elles ne diminuait pas. Aussi mon âme partagea-t-elle bientôt les souffrances de mon cœur. La sécheresse était mon pain quotidien et privée de toute consolation, j'étais cependant la plus heureuse des créatures, puisque tous mes désirs étaient satisfaits (Ms A, 73rº et vº).

C'est comme si on avait mis deux petits enfants ensemble, et les petits enfants ne se disent rien ! Pourtant, moi, j'ai dit quelque petite chose à Jésus, mais il ne m'a pas répondu. Sans doute qu'il dormait ! (CSG, 154)

Jésus ne veut pas que nous trouvions dans le repos sa présence adorable. Il se cache, il s'enveloppe de ténèbres… (LT 145)

Jésus se cache, mais on le devine… En versant des larmes, on essuie les siennes… (LT 57)

> *Lisons par exemple la lettre 110, de fin août 1890. Elle esquisse le climat dans lequel Thérèse vivait souvent.*

Il faut que la petite solitaire vous dise l'itinéraire de son voyage. Le voici. Avant de partir, son Fiancé a semblé lui demander dans quel pays elle voulait voyager, quelle route elle désirait suivre. La petite fiancée a répondu qu'elle n'avait qu'un désir, celui de se rendre au sommet de la montagne de l'Amour. Pour y parvenir, bien des routes s'offraient à elle ; il y en avait tant de parfaites qu'elle se voyait incapable de choisir. Alors, elle a dit à son divin guide : « Vous savez où je désire me rendre, vous savez pour qui je veux gravir la montagne, pour qui je veux arriver au terme, vous savez celui que j'aime et celui que je veux contenter uniquement. C'est pour lui seul que j'entreprends ce voyage. Menez-moi donc par les sentiers qu'il aime à parcourir ; pourvu qu'il soit content, je serai au comble du bonheur. »

Alors Jésus m'a prise par la main et il m'a fait entrer dans un souterrain où il ne fait ni froid ni chaud, où le soleil ne luit pas ; et que la pluie ni le vent ne visitent ; un souterrain où je ne vois rien qu'une clarté à demi voilée, la clarté que répandent autour d'eux les yeux baissés de la Face de mon Fiancé.

Mon Fiancé ne me dit rien, et moi je ne lui dis rien non plus, sinon que je l'aime plus que moi. Et je sens au fond de mon cœur que c'est vrai, car je suis plus à lui qu'à moi !

Je ne vois pas que nous avancions vers le terme de la montagne, puisque notre voyage se fait sous terre, mais pourtant il me semble que nous approchons, sans savoir comment. La route que je suis n'est d'aucune consolation pour moi et pourtant elle m'apporte toutes les consolations, puisque c'est Jésus qui l'a choisie et que je désire le consoler tout seul, tout seul ! (LT 110)

*

*Devant l'aridité dans l'oraison, Thérèse ne
s'affole pas. Elle accepte.*

Dieu est admirable, mais surtout il est aimable.
Aimons-le donc… Aimons-le assez pour souffrir
pour lui tout ce qu'il voudra, même les peines de
l'âme, les aridités, les angoisses, les froideurs appa-
rentes. Ah ! c'est là un grand amour d'aimer Jésus
sans sentir la douceur de cet amour, c'est là un martyre. Eh bien ! mourons martyres ! (LT 94)

Je suis trop heureuse que Jésus ne se gêne pas
avec moi. Il me montre que je ne suis pas une
étrangère en me traitant ainsi, car je vous assure
qu'il ne fait pas de frais pour me tenir conversation ! (LT 74)

Jésus est si peu consolé, qu'il est heureux de trouver une âme où il puisse se reposer sans faire de
cérémonie (LT 104).

Tout ce qu'il m'a donné, Jésus peut le reprendre,
Dis-lui de ne jamais se gêner avec moi,

Il peut bien se cacher, je consens à l'attendre
Jusqu'au jour sans couchant où s'éteindra ma foi.
(PN 54)

Tu ne sens pas ton amour pour ton Époux, tu voudrais que ton cœur soit une flamme qui monte vers lui sans la plus légère fumée… Fais bien attention que la fumée qui t'environne n'est que pour toi, pour t'ôter toute la vue de ton amour pour Jésus. La flamme n'est vue que de lui seul, au moins alors il l'a tout entière. Car pour peu qu'il nous la montre, vite l'amour-propre vient, comme un fatal vent, qui éteint tout ! (LT 81)

Vous allez peut-être croire qu'elle s'en afflige ? Mais non, au contraire, elle est heureuse de suivre son fiancé pour l'amour de lui seul et non pas à cause de ses dons. Lui seul, il est si beau, si ravissant ! Même quand il se tait, même quand il se cache (LT 111).

Mon âme est heureuse de n'avoir aucune consolation, car je trouve qu'alors son amour n'est pas comme l'amour des fiancés de la terre qui regardent toujours aux mains de leur fiancé, pour voir s'il ne leur apporte pas quelque présent (LT 115).

Ô Jésus ! que ton petit oiseau est heureux d'être faible et petit. Que deviendrait-il s'il était grand ? Jamais il n'aurait l'audace de paraître en ta présence, de sommeiller devant toi... (Ms B, 5r°)

*

Généreusement, Thérèse tâche de remédier à ces difficultés de prière.

Quelquefois lorsque mon esprit est dans une si grande sécheresse qu'il m'est impossible d'en tirer une pensée pour m'unir au bon Dieu, je récite très lentement un « Notre Père » et puis la salutation angélique. Alors ces prières me ravissent. Elles nourrissent mon âme bien plus que si je les avais récitées précipitamment une centaine de fois (Ms C, 25v°).

Je ne puis pas dire que j'ai souvent reçu des consolations pendant mes actions de grâces, c'est peut-être le moment où j'en ai le moins...

Je trouve cela tout naturel puisque je me suis offerte à Jésus non comme une personne qui désire recevoir sa visite pour sa propre consolation, mais au contraire pour le plaisir de Celui qui se donne à moi [...]. Au sortir de l'action de grâces voyant que je l'ai si mal faite, je prends la résolution d'être tout le reste de la journée en action de grâces... Vous voyez que je suis loin d'être conduite par la voie de la crainte, je sais toujours trouver le moyen d'être heureuse et de profiter de mes misères (Ms A, 79v°-80r°).

La Sainte Vierge me montre qu'elle n'est pas fâchée contre moi. Jamais elle ne manque de me protéger aussitôt que je l'invoque. S'il me survient une inquiétude, un embarras, bien vite je me tourne vers elle et toujours comme la plus tendre des Mères elle se charge de mes intérêts. Que de fois en parlant aux novices, il m'est arrivé de l'invoquer et de ressentir les bienfaits de sa maternelle protection (Ms C, 25v°-26r°).

Devant notre impuissance, il faut offrir les œuvres des autres. C'est là le bienfait de la communion des Saints et, de cette impuissance, il ne faut jamais nous faire de peine, mais s'appliquer uniquement à l'amour (CSG, 63).

Ne craignez pas de dire à Jésus que vous l'aimez, même sans le sentir. C'est le moyen de forcer Jésus à vous secourir, à vous porter comme un petit enfant trop faible pour marcher (LT 241).

*

En guise de résumé :

Je crois bien que je n'ai jamais été trois minutes sans penser au bon Dieu… On pense naturellement à quelqu'un que l'on aime (CSG, 77).

5. La nature, livre de vie

Thérèse aime beaucoup la nature, comme un miroir qui reflète Dieu.

J'ai compris que si, dans l'ordre de la nature, Jésus se plaît à semer sous nos pas des merveilles aussi ravissantes, ce n'est que pour nous aider à deviner des mystères plus cachés et d'un ordre supérieur qu'il opère parfois dans les âmes (LT 134).

Dès son enfance les beautés de la nature la portent au recueillement. Mais Thérèse remonte à l'auteur de toute beauté, qui est Dieu.

Je préférais aller m'asseoir seule sur l'herbe fleurie. Alors mes pensées étaient bien profondes et sans savoir ce que c'était de méditer, mon âme se plongeait dans une réelle oraison. J'écoutais les bruits lointains. Le murmure du vent et même la musique indécise des soldats dont le son arrivait jusqu'à moi, mélancolisaient doucement mon cœur [...]. Je me souviens qu'un jour le beau ciel bleu de la campagne se couvrit et que bientôt l'orage se mit à gronder. Les éclairs sillonnaient les nuages sombres et je vis à quelque distance tomber le tonnerre. Loin d'en être effrayée, j'étais ravie, il me semblait que le bon Dieu était si près de moi ! (Ms A, 14v°.)

Je regardais les étoiles qui scintillaient doucement et cette vue me ravissait. Il y avait surtout un groupe de perles d'or que je remarquais avec joie, trouvant qu'il avait la forme d'un T. Je le faisais voir à papa en lui disant que mon nom était écrit dans le ciel (Ms A, 18r°).

Jamais je n'oublierai l'impression que me fit la mer. Je ne pouvais m'empêcher de la regarder sans cesse. Sa majesté, le mugissement de ses flots, tout parlait à mon âme de la grandeur et de la puissance du bon Dieu [...]. Le soir, à l'heure où le soleil semble se baigner dans l'immensité des flots laissant devant lui un sillon lumineux, j'allai m'asseoir toute seule sur un rocher avec

Pauline… Alors je me rappelai la touchante histoire « Du sillon d'or » !… Je le contemplai longtemps, ce sillon lumineux, image de la grâce illuminant le chemin que doit parcourir le petit vaisseau à la gracieuse voile blanche… Près de Pauline, je pris la résolution de ne jamais éloigner mon âme du regard de Jésus, afin qu'elle vogue en paix vers la patrie des Cieux ! (Ms A, 21v°-22r°)

Je me rappelle surtout les promenades du dimanche où toujours maman nous accompagnait. Je sens encore les impressions profondes et poétiques qui naissaient en mon âme à la vue des champs de blé émaillés de bleuets et de fleurs champêtres. Déjà j'aimais les lointains… L'espace et les sapins gigantesques dont les branches touchaient la terre laissaient en mon cœur une impression semblable à celle que je ressens encore aujourd'hui à la vue de la nature (Ms A, 11v°).

Son passage en Suisse reste un souvenir inoubliable.

J'ai aussi pensé à vous devant les merveilles de la nature, à côté de ces montagnes de la Suisse que nous avons traversées. On prie si bien, l'on sent que Dieu est là !

Comme je me sentais petite devant ces montagnes gigantesques ! (LT 31)

Ah ! [...] que ces beautés de la nature répandues à profusion ont fait du bien à mon âme ! Comme elles l'ont élevée vers Celui qui s'est plu à jeter de pareils chefs-d'œuvre sur une terre d'exil qui ne doit durer qu'un jour. Je n'avais pas assez d'yeux pour regarder [...]. En regardant toutes ces beautés, il naissait en mon âme des pensées bien profondes. Il me semblait comprendre déjà la grandeur de Dieu et les merveilles du Ciel (Ms A, 57v°-58r°).

*

Mais il faut que l'œil soit pur pour découvrir dans le créé le visage du Créateur.

La pureté, c'est si beau, si blanc ! Bienheureux les cœurs purs, car ils verront Dieu. Oui, ils le verront même sur la terre où rien n'est pur, mais où toutes les créatures deviennent limpides quand elles sont vues à travers la Face du plus beau et du plus blanc des Lys ! (LT 105)

Si je ne vois Dieu, brillante nature,
Tu n'es rien pour moi, qu'un vaste tombeau.

(PN 23)

La lune et le soleil racontent ses louanges,
Admirent sa beauté.

(PN 26)

Le bon Dieu vous apprend comment
il fait les roses,
L'oiseau, les vents.

(PN 44)

Céline, les vastes solitudes, les horizons enchanteurs qui s'ouvrent devant toi, doivent t'en dire bien long à l'âme. Moi je ne vois pas tout cela, mais je dis avec saint Jean de la Croix : « J'ai en mon bien-aimé les montagnes, les vallées solitaires et boisées, etc. »

Et ce bien-aimé instruit mon âme. Il lui parle dans le silence, dans les ténèbres (LT 135).

*

> *Nos frères, les choses, les joies de la vie, tout peut aider à nous élever à Dieu. Thérèse fait dire au Seigneur :*

« Heureux celui qui met en moi son appui. Il dispose en son cœur des degrés pour s'élever jusqu'au Ciel. » Remarque bien, petit agneau, je ne dis pas de se séparer complètement des créatures, de mépriser leur amour, leurs prévenances, mais au contraire de les accepter pour me faire plaisir, de s'en servir comme d'autant de degrés, car s'éloigner des créatures ne servirait qu'à une chose : marcher et s'égarer dans les sentiers de la terre. Pour s'élever, il faut poser son pied sur les degrés des créatures et ne s'attacher qu'à moi seul… Comprends-tu bien ? (LT 190)

Céline, tu dois être bien heureuse de contempler la belle nature, les montagnes, les rivières argentées… Tout cela est si grandiose, si bien fait pour élever nos âmes. Ah ! petite sœur, détachons-nous de la terre, volons sur la montagne de l'amour où se trouve le beau Lys de nos âmes. Détachons-nous des consolations de Jésus pour nous attacher à *lui* ! (LT 105)

Il me semble que, si nos sacrifices sont des cheveux qui captivent Jésus, nos joies en sont aussi. Pour cela il suffit de ne pas se concentrer dans un bonheur égoïste, mais d'offrir à notre Époux les petites joies qu'il sème sur le chemin de la vie, pour charmer nos âmes et les élever jusqu'à lui (LT 191).

Tout nous porte vers lui, les fleurs qui croissent au bord du chemin ne captivent pas nos cœurs. Nous les regardons, nous les aimons, car elles nous parlent de Jésus, de sa puissance, de son amour, mais nos âmes restent libres (LT 149).

6. Se détacher pour être libre enfin...

Aimer Dieu de tout cœur, aimer son frère comme soi-même, cela se paie cher. Le détachement total est la rançon de l'amour total. Thérèse y insiste avec une force qui traduit la fille de saint Jean de la Croix ! C'est exigeant d'ambitionner un cœur pur !

Voilà que vous voulez posséder des richesses, avoir des possessions ! S'appuyer là-dessus, c'est s'appuyer sur un fer rouge ! Il en reste une petite marque ! Il est nécessaire de ne s'appuyer sur rien, même pas sur ce qui peut aider la piété. Le rien, c'est la vérité. C'est de n'avoir ni désir, ni espoir de joie. Qu'on est heureux alors ! (CSG, 29)

Saint François de Sales dit : « Quand le feu de l'amour est dans un cœur, tous les meubles volent par les fenêtres » (LT 89).

Si l'on savait ce que l'on gagne à se renoncer en toutes choses ! (CSG, 132)

*

Le but du détachement est tout positif.

C'est à toi seul, Jésus, que je m'attache.

(PN 36)

Jésus veut que les joies les plus pures se changent en souffrances, afin que n'ayant pour ainsi dire pas même le temps de respirer à l'aise, notre cœur se tourne vers lui, qui, seul est notre soleil et notre joie.

Les fleurs du chemin, ce sont les plaisirs purs de la vie, il n'y a aucun mal à en jouir, mais Jésus est jaloux de nos âmes. Il désire que tous les plaisirs soient pour nous mêlés d'amertume. Et cependant, les fleurs du chemin conduisent au Bien-Aimé, mais c'est une voie détournée, c'est la plaque ou le miroir qui reflète le soleil, mais ce n'est pas le soleil lui-même (LT 149).

Je ne veux rien refuser à Jésus. Même quand je me sens triste et seule sur la terre, lui me reste encore et sainte Thérèse n'a-t-elle pas dit : Dieu seul suffit ? (LT 27)

*

Dès lors, quitter tout pour chercher la perle cachée.

Jésus est un trésor caché, un bien inestimable que peu d'âmes savent trouver, car il est caché et le monde aime ce qui brille. Ah ! si Jésus avait voulu se montrer à toutes les âmes avec ses dons ineffables, sans doute, il n'en est pas une seule qui l'aurait dédaigné. Mais il ne veut pas que nous l'aimions pour ses dons, c'est lui-même qui doit être notre récompense ! Pour trouver une chose cachée, il faut se cacher soi-même. Notre vie doit donc être un mystère ! Il nous faut ressembler à Jésus, à Jésus dont le visage était caché… « Voulez-vous apprendre quelque chose qui vous serve, dit l'Imitation, aimez à être ignoré et compté pour rien. » Et ailleurs : « Après avoir tout quitté, il faut surtout se quitter soi-même ; que celui-ci se glorifie d'une chose, celui-là d'une autre, pour vous ne mettez votre joie que dans le mépris de vous-même. » Que ces paroles donnent la paix à l'âme, ma Céline ! Tu les connais, mais ne sais-tu pas tout ce que je voudrais te dire ?... Jésus t'aime d'un amour si grand que, si tu le voyais, tu serais dans une extase de bonheur qui te donnerait la mort, mais tu ne le vois pas et tu souffres. Bientôt Jésus se lèvera pour sauver tous les doux et les humbles de la terre (LT 145).

« Hâtez-vous de descendre, il faut que je loge aujourd'hui chez vous. » Et quoi, Jésus nous dit de descendre ! Où donc faut-il descendre ? [...] Voilà où nous devons descendre afin de pouvoir servir de demeure à Jésus : « Être si pauvre, que nous n'ayons pas où reposer la tête. » Voilà, Céline, ce que Jésus a fait dans mon âme pendant ma retraite. Tu comprends qu'il s'agit de l'intérieur. [...] Maintenant laissons-le faire, il saura achever son œuvre dans nos âmes. Ce que Jésus désire c'est que nous le recevions dans nos cœurs. Sans doute, ils sont déjà vides des créatures, mais hélas ! je sens que le mien n'est pas tout à fait vide de moi et c'est pour cela que Jésus me dit de descendre (LT 137).

Tu n'avais rien, non pas même une pierre,
Pas un abri, comme l'oiseau du ciel.

(PN 24)

Se détacher des petites choses qui nous bouleversent, de tout ce que nous devrions laisser tomber ! (CSG, 178)

Oh ! comme le grain de sable (Thérèse) désire d'être réduit à rien, inconnu de toutes les créatures, pauvre petit, il ne désire plus rien, rien que l'oubli. Non pas le mépris, les injures, ce serait trop glorieux pour un grain de sable. Si on le méprisait, il faudrait bien le voir, mais l'oubli ! Oui je désire être oubliée et non seulement des créatures, mais aussi de moi-même. Je voudrais être tellement réduite au néant que je n'aie aucun désir. La gloire de mon Jésus, voilà tout ! Pour la mienne je la lui abandonne et s'il semble m'oublier, eh bien ! il est libre, puisque je ne suis plus à moi, mais à lui.

Il se lassera plus vite de me faire attendre que moi de l'attendre ! (LT 103)

*

Se laisser faire, se laisser appauvrir.

Jésus se plaît à prodiguer ses dons à quelques-unes de ses créatures, mais bien souvent c'est pour s'attirer d'autres cœurs. Et puis, quand son but est atteint, il fait disparaître ces dons extérieurs, il dépouille complètement les âmes qui lui sont les plus chères. En se voyant dans une aussi grande pauvreté, ces pauvres petites âmes ont peur, il leur semble qu'elles ne sont bonnes à rien puisqu'elles reçoivent tout des autres et ne peuvent rien donner. Mais il n'en est pas ainsi, l'essence de leur être travaille en secret. Jésus forme en elles le germe qui doit se développer là-haut dans les célestes jardins des Cieux. Il se plaît à leur montrer leur néant et sa puissance. Il se sert, pour arriver à elles, des instruments les plus vils, afin de leur montrer que c'est bien lui seul qui travaille. Il se hâte de perfectionner son œuvre pour le jour où, les ombres s'étant évanouies, il ne se servira plus d'intermédiaires, mais d'un face à face éternel ! (LT 147)

Nous ne le voyons pas, il se cache, il voile sa main divine et nous ne pouvons percevoir que les créatures… (LT 149)

Jésus aime mieux te voir heurter dans la nuit les pierres du chemin que marcher en plein jour sur une route émaillée de fleurs qui pourraient retarder ta marche (LT 211).

Cela fait tant de bien de reconnaître que lui seul est parfait, que lui seul doit nous suffire, lorsqu'il lui plaît d'ôter la branche qui soutenait le petit oiseau ! (LT 250)

Maintenant nous sommes orphelines, mais nous pouvons dire avec amour : « Notre Père qui êtes aux Cieux. » Oui, il nous reste encore l'unique tout de nos âmes !… (LT 101)

*

Peu à peu, elle devient libre. Ainsi par exemple, à propos des sentiments, lorsque après avoir rendu un service on ne reçoit aucun témoignage de reconnaissance, Thérèse dit :

Moi aussi, je vous assure, j'éprouve le sentiment dont vous me parlez. Mais je ne suis jamais attrapée, car je n'attends sur la terre aucune rétribution. Je fais tout pour le bon Dieu. Comme cela je ne puis rien perdre et je suis toujours très bien payée du mal que je me donne à servir le prochain (JEV, 28).

Sœur Geneviève manifestait le désir que les créatures tiennent compte de ses efforts et remarquent ses progrès. Thérèse réplique :

Agir ainsi, c'est imiter la poule qui avertit tous les passants, dès qu'elle a pondu. Comme elle, vous voulez, dès que vous avez bien agi, ou que votre intention a été irréprochable, que tout le monde le sache et vous estime… (CSG, 30-31)

Quelle paix inonde l'âme lorsqu'elle s'élève au-dessus des sentiments de la nature (Ms C, 16v°).

7. L'arène de la souffrance

Tu veux vivre selon l'Évangile ? Tu veux aimer ? Sois réaliste. Tu auras à livrer un combat quotidien !

Ne croyons pas pouvoir aimer sans souffrir, sans souffrir beaucoup. Notre pauvre nature est là et elle n'y est pas pour rien ! C'est notre richesse, notre gagne-pain ! (LT 89)

Si quelqu'un veut suivre Jésus, qu'il prenne sa croix.

Vivre d'amour, ce n'est pas sur la terre
Fixer sa tente au sommet du Thabor.
Avec Jésus, c'est gravir le calvaire,
C'est regarder la croix comme un trésor !

(PN 17)

Console-toi, notre Époux est un Époux de larmes et non pas de sourires (LT 120).

Son Époux n'est point un Époux qui doit la conduire dans les fêtes, mais sur la montagne du Calvaire (LT 234).

Afin de pouvoir contempler ta gloire,
Il faut, je le sais, passer par le feu.

(PN 23)

Oh ! quelle joie ! Je suis choisie
Parmi les grains de pur froment
Qui, pour Jésus, perdent la vie.

(PN 25)

Je pense aux paroles de saint Ignace d'Antioche. « Il faut, moi aussi que, par la souffrance, je sois broyée pour devenir le froment de Dieu » (JEV, 124).

Sur cette terre où tout change, une seule chose reste stable, c'est la conduite du Roi des Cieux à l'égard de ses amis. Depuis qu'il a levé l'étendard de la croix, c'est à son ombre que tous doivent combattre et remporter la victoire (LT 226).

Pour que Jésus incline vers moi sa divine Face, je comprends qu'il me faudra souffrir. Mais je suis sa petite épouse et je veux essayer de lui rendre amour pour amour (RP 1).

Quand je pense que je meurs dans un lit ! J'aurais tant voulu mourir dans une arène ! (CSG, 61)

*

La sainte de la « petite voie » nous avertit du sérieux de la lutte journalière.

J'ai trouvé le bonheur et la joie sur la terre, mais uniquement dans la souffrance, car j'ai beaucoup souffert ici-bas. Il faudra le faire savoir aux âmes ! (JEV, 104)

— Dites-moi si vous avez eu des combats.
— Oh ! si j'en ai eu. J'avais une nature pas commode, cela ne paraissait pas, mais moi je le sentais bien. Je puis vous assurer que je n'ai pas été un seul jour sans souffrir, pas un seul (JEV, 236).

Le bon Dieu m'a toujours traitée en enfant gâtée. Il est vrai que sa croix m'a suivie dès le berceau, mais cette croix, Jésus me l'a fait aimer avec passion. Il m'a toujours fait désirer ce qu'il voulait me donner (LT 253).

Écoutons-la gémir pendant sa dernière maladie.

Je vais peut-être perdre mes idées. Oh ! si l'on savait ce que c'est que la faiblesse que j'éprouve. Cette nuit, je n'en pouvais plus. J'ai demandé à la Sainte Vierge de me prendre la tête dans ses mains pour que je puisse la supporter (JEV, 133).

Et le jour de sa mort :

Ô ma Mère, je vous assure que le calice est plein jusqu'au bord !... Mais le bon Dieu ne va pas m'abandonner, bien sûr. Il ne m'a jamais abandonnée…

Oui, mon Dieu, tout ce que vous voudrez, mais ayez pitié de moi !
Mes petites sœurs ! Mes petites sœurs, priez pour moi !

Mon Dieu, mon Dieu ! Vous qui êtes si bon !
(JEV, 184-5)

*

Plus grande que la peine extérieure est la souffrance du cœur, le « martyre sans honneur, sans triomphe ».

(LT 94)

Le martyre du cœur n'est pas moins fécond que l'effusion du sang (LT 213).

Il faut la palme d'Agnès ! Si ce n'est par le sang, il faut que ce soit par l'amour (LT 54).

Les croix extérieures, qu'est-ce que cela ?... Nous pourrions nous éloigner l'une de l'autre sans souffrir si Jésus consolait nos âmes... Ce qui est une croix véritable, c'est le martyre du cœur, la souffrance intime de l'âme (LT 167).

Le martyre le plus douloureux, le plus *amoureux* est le nôtre, puisque Jésus seul le voit. Il ne sera jamais révélé aux créatures sur la terre, mais lorsque l'Agneau ouvrira le livre de vie, quel étonnement pour la Cour céleste d'entendre proclamer, avec ceux des missionnaires et des martyrs, le nom de pauvres petits enfants qui n'auront jamais fait d'actions éclatantes (LT 195).

Plus la souffrance est intime, moins elle paraît aux yeux des créatures, plus elle vous réjouit, ô mon Dieu ! (Ms C, 7r°)

Je connais une autre source, c'est celle « où après avoir bu on a encore soif », mais d'une soif qui n'est pas haletante, qui est au contraire très douce, parce qu'elle a de quoi satisfaire. Cette source, c'est la souffrance connue de Jésus seul ! (LT 75)

*

Tout enfant, Thérèse vivait dans l'illusion.
Elle pensait que la vie était semée de roses.

Je ne pensais pas alors qu'il fallait beaucoup souffrir pour arriver à la sainteté. Le bon Dieu ne tarda pas à me le montrer (Ms A, 32rᵒ).

> *À l'âge de onze ans, elle commence à aimer la croix.*

Le lendemain après ma communion, les paroles de Marie me revinrent à la pensée. Je sentis naître en mon cœur un grand désir de la souffrance et en même temps l'intime assurance que Jésus me réservait un grand nombre de croix. Je me sentis inondée de consolations si grandes que je les regarde comme une des grâces les plus grandes de ma vie. La souffrance devint mon attrait, elle avait des charmes qui me ravissaient sans les bien connaître. Jusqu'alors j'avais souffert sans *aimer* la souffrance, depuis ce jour je sentis pour elle un véritable amour. Je sentais aussi le désir de n'aimer que le bon Dieu, de ne trouver de joie qu'en lui. Souvent pendant mes communions, je répétais ces paroles de l'Imitation : « Ô Jésus ! douceur ineffable, changez pour moi en amertume toutes les consolations de la terre ! » Cette prière sortait de mes lèvres sans effort, sans contrainte. Il me semblait que je la répétais, non par ma volonté, mais comme une enfant qui redit les paroles qu'une personne amie lui inspire… Plus tard je vous dirai comment Jésus s'est plu à réaliser mon désir, comment il fut toujours lui seul ma douceur ineffable (Ms A, 36r° et v°).

*

Un thème qui revient abondamment chez Thérèse en parlant de la souffrance, c'est de la considérer comme un privilège. Audace de la sainteté !

Oui, les trois années du martyre de papa me paraissent les plus aimables, les plus fructueuses de toute notre vie. Je ne les donnerais pas pour toutes les extases et les révélations des Saints. Mon cœur déborde de reconnaissance en pensant à ce trésor inestimable (Ms A, 73r°).

À propos de l'humiliante maladie de son père :

Dieu a frappé un grand coup, mais c'est un coup d'amour (LT 94).

Jésus nous a envoyé la croix la mieux choisie qu'il a pu inventer dans son amour immense... Comment nous plaindre, quand lui-même a été considéré comme un homme frappé de Dieu et humilié ? (LT 108)

Il faut que Jésus t'aime d'un amour particulier pour t'éprouver ainsi. Sais-tu bien que j'en suis presque jalouse ? À ceux qui aiment plus, il en donne plus, à ceux qui aiment moins, il en donne moins ! (LT 81)

Le bon Dieu t'aime et te comble de ses grâces... Il te trouve digne de souffrir pour son amour et c'est la plus grande preuve de tendresse qu'il puisse te donner, car c'est la souffrance qui nous rend semblables à lui (LT 173).

Je sentais alors que tout ce que Jésus pouvait nous donner de meilleur était la souffrance, qu'il ne la donnait qu'à ses amis de choix (LT 67).

Sainte Thérèse avait bien raison de dire à Notre-Seigneur qui l'accablait de croix, lorsqu'elle entreprenait pour lui de grands travaux :

« Ah ! Seigneur, je ne suis pas surprise que vous ayez si peu d'amis, vous les traitez si mal ! » Elle disait, une autre fois, qu'aux âmes que le bon Dieu aime d'un amour ordinaire, il donne quelques épreuves, mais à celles qu'il aime d'un amour de prédilection, il prodigue ses croix comme la marque la plus assurée de sa tendresse (LT 178).

*

Dans la souffrance, Dieu nous offre son aide.

Même dans les souffrances les plus amères, on sent toujours que c'est sa douce main qui frappe (LT 43 B).

Il nous aide sans en avoir l'air (LT 65).

Il semble oublier sa pauvre Céline. Mais non, sans être vu d'elle, il la regarde par la fenêtre… Il se plaît à la voir dans le désert, n'ayant pas d'autre office que d'aimer, en souffrant sans même sentir qu'elle aime ! (LT 157)

Thérèse croit. Elle s'abandonne.

Cependant le bon Dieu ne peut pas me donner des épreuves qui sont au-dessus de mes forces (LT 36).

— Comme vous souffrez ! Oh ! que c'est dur ! Êtes-vous triste ?

— Oh ! non, je ne suis pas du tout malheureuse. Le bon Dieu me donne juste ce que je peux porter (JEV, 147).

Je n'avais pas encore passé une aussi mauvaise nuit. Oh ! qu'il faut que le bon Dieu soit bon pour que je puisse supporter tout ce que je souffre ! Jamais je n'aurais cru pouvoir souffrir autant. Et pourtant je crois que je ne suis pas au bout de mes peines. Mais il ne m'abandonnera pas (JEV, 144).

Je suis bien contente de n'avoir rien demandé au bon Dieu. Comme cela, il est forcé de me donner du courage (JEV, 149).

Je ne voudrais jamais demander au bon Dieu des souffrances plus grandes. S'il les augmente, je les supporterai avec plaisir et avec joie puisque ça viendra de lui. Mais je suis trop petite pour avoir la force par moi-même. Si je demandais des souffrances, ce seraient mes souffrances à moi, il faudrait que je les supporte seule, et je n'ai jamais rien pu faire toute seule (JEV, 125).

Le Seigneur soutient son courage.

Le bon Dieu me donne du courage en proportion de mes souffrances. Je sens que, pour le moment, je ne pourrais en supporter davantage, mais je n'ai pas peur, puisque si elles augmentent, il augmentera mon courage en même temps (JEV, 129).

Elle vit dans le moment présent.

Ah ! souffrir de l'âme, oui, je puis beaucoup… Mais pour la souffrance du corps, je suis comme un petit enfant, tout petit. Je suis sans pensée, je souffre de minute en minute (JEV, 149).

Je ne souffre qu'un instant. C'est parce qu'on pense au passé et à l'avenir qu'on se décourage et qu'on désespère (JEV, 135).

De moment en moment, on peut beaucoup supporter (JEV, 48).

Mais le dernier mot est à la joie !

Tu verras que la joie succédera à l'épreuve et que, plus tard, tu seras heureuse d'avoir souffert (LT 171).

TABLE DES MATIÈRES